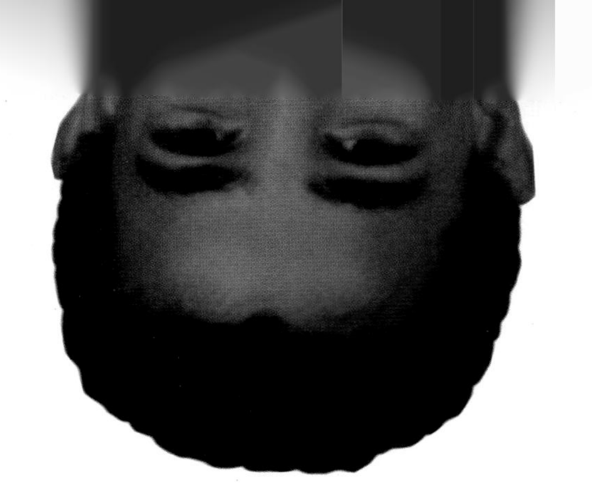

Head to Toe

The Human Body

ANDREA ROY • MICHELLE SHALTON

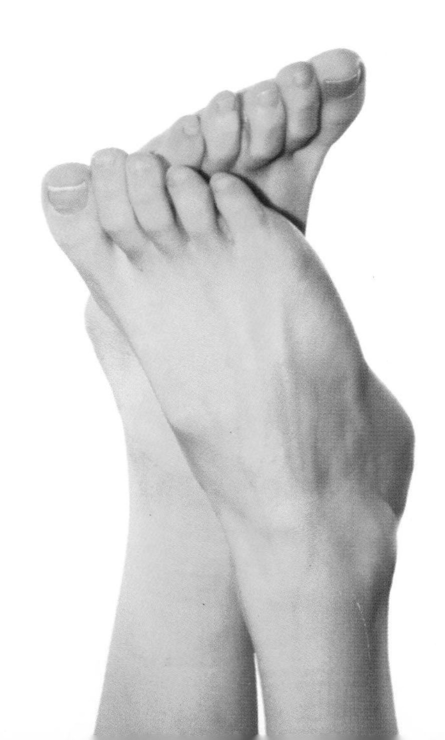

Ru'bicon © 2004 Rubicon Publishing Inc.
www.rubiconpublishing.com

Published by Rubicon Publishing Inc. in association with Harcourt Canada

www.harcourtcanada.com

Project Editors: Miriam Bardswich, Kim Koh
Editorial Assistant: Lori McNeelands
Art/Creative Director: Jennifer Drew-Tremblay
Designers: Sarah Anderson, Jeanette Debusschere, Kerri Knibb

Library and Archives Canada Cataloguing in Publication

Roy, Andrea
Head to toe / Andrea Roy, Michelle Shalton .

(Bold print)
ISBN 1-897096-08-9

1. Readers (Elementary) 2. Readers—Body, Human.
I. Shalton, Michelle II. Title. III. Series: Bold print (Oakville, Ont.)

PE1117.S4344 2004 428.6 C2004-904998-4

Title page–istockphoto

CONTENTS

An AMAZING

- When you sneeze, all your bodily functions stop, even your heart.
- A sneeze can reach a speed of 160 km/hr.
- The largest human organ is the skin.
- By 70 years of age, the average person will have shed 47 kg of skin.
- Every thousand frowns will make one wrinkle.
- Human blood travels 96540 km each day on its journey through the body.
- The human heart creates enough pressure to squirt blood 9 m away.
- In a lifetime, a person will walk the distance of five times around the Equator.

MACHINE

- Human thighbones are stronger than concrete.
- Based on size, the strongest muscle in the body is the tongue.
- The human body is 80 percent water.
- The average human produces a quart of saliva a day, or 10,000 gallons in a lifetime.
- Your stomach has to make a new layer of mucus every two weeks or it will digest itself.
- An average human scalp has 100,000 hairs.
- Children grow faster in the spring-time.
- Your nose and ears never stop growing.

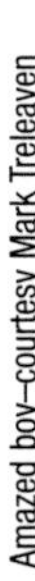

Amazed boy–courtesy Mark Treleaven

The BOSS of Your Body

warm up

You can make your body do some things – like walking. But your body does many things all on its own – like shivering. Brainstorm a list of other things your body does all on its own.

You blink without thinking about it; you breathe without having to remember to do so; your heart pumps along all by itself; food you eat gets digested — all thanks to your brain. It is the boss of your body.

This organ also controls your memory and your movements, your senses and your feelings. Without a brain, you would not be able to survive.

FYI

The average adult brain weighs 1.4 kg.

If you could touch your brain, it would feel like peanut butter.

The Different Parts of the Brain

"The brain … makes up the person who's you."
— Dr. Eric Chudler

The Cerebrum (say: sur-ee-brum) is the thinking part of the brain. It is divided into two halves, or "hemispheres."

The right side of the brain controls artistic activities like music, art, and writing. It also controls your feelings. The left side of the brain is used for logical thinking. When you're solving a math problem you are using the left side of your brain.

The Hippocampus (say: hih-poh-cam-pus) is in charge of your memory. There are two different kinds of memory — short-term and long-term. Try to remember what you had for lunch today — that's an example of short-term memory. It's information your brain just received. Now think about last year's birthday party. That was information stored in your long-term memory.

The Cerebellum (say: sair-uh-beh-lum) controls balance, movement, and coordination (how your muscles work together).

The motor area controls your voluntary muscles — the muscles in your body that move when you want them to. For example, when you want to hit a tennis ball that is coming toward you, you tell your brain to make your arm swing at the ball when it comes near.

Messages from your nerves first enter your brain through the brain stem. The brain stem looks after involuntary movements — actions like breathing, blinking, and shivering that you don't have to think about.

voluntary: *you make it happen*
involuntary: *it happens by itself*

wrap up

1. Why is the brain referred to as the boss of your body?
2. With a partner, come up with a list of left- and right-sided brain activities. Compare your list with another group.

Right- or Left-Handed?

Answer these questions to find out what's going on in your brain.

1. Which hand do you write and eat with?

2. Which foot would you use to kick a ball?

3. If you look through a tube, which eye do you use?

If your answer to each of these questions was **right**, the left side of your brain is working harder.

If you answered **left** to some questions and **right** to others, then your brain probably uses both sides. This is not common.

The left side of your brain controls the right side of your body, and the right side of your brain controls the left side.

Kids—istockphoto, Brain in a jar—Corbis

The HEART of the Matter

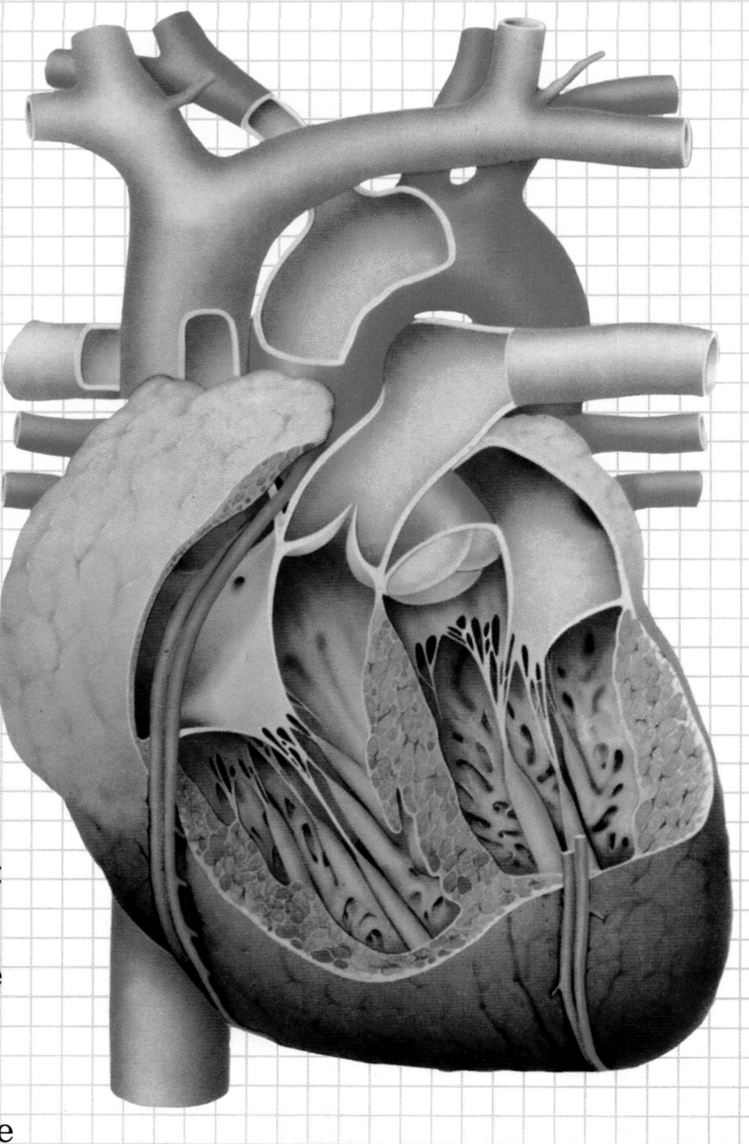

warm up

What does the phrase "the heart of the matter" mean? Why do you think the author chose to use it as the title of this selection?

Your heart is a hard working organ — even when you are sleeping your heart will beat all on its own. In one day, your heart will beat over 100,000 times — as it pumps blood throughout your body.

The heart can be divided into two parts: the left side and the right side. The left side of the heart receives blood from the lungs. This blood carries good stuff like oxygen and nutrients. The heart pumps the blood to the top of your head and the tip of your toes.

Once your body has taken the oxygen and nutrients the blood travels back to the heart. On its way back it carries waste — carbon dioxide. This blood enters the right side of your heart and then it is sent back to the lungs — to pick up new oxygen and nutrients.

FYI

Blood travels through special tubes called **arteries** and **capillaries**. Arteries carry blood away from the heart. Capillaries carry blood between arteries and veins.

carbon dioxide: *the air you breathe out*

What's in your Blood?

Blood is made up of three types of cells:

- **White Blood Cells — fight germs**
- **Platelets — help blood stick together when you get cut**
- **Red Blood Cells — deliver oxygen to all parts of the body**

FYI

Did you know that if you joined your veins, arteries, and capillaries, they would wrap around the Equator twice. That is 965 000 km!

wrap up

1. Using a flow chart, show the route that blood travels – from your heart to your lungs and back again.
2. What you eat can affect your heart. Find out what a healthy diet for the heart would be. Use this information to design a healthy menu consisting of breakfast, lunch, and dinner.

Shocked boy–courtesy Mark Treleaven; all other images–istockphoto

Heart Quiz

Your heart is approximately the size of...
a) two eyeballs glued together
b) a kneecap
c) a clenched fist

How much blood is in the human body?
a) 1 L
b) 5 L
c) 8 L

How long does it take for the blood to complete one trip around the body?
a) 23 seconds
b) 45 seconds
c) 60 seconds

The heart symbolizes...
a) knowledge
b) squishy strawberries
c) love

(Answers on page 48)

Breathe IN... Breathe OUT

warm up

Where in your body are your lungs? Can you feel them? What body part protects your lungs?

FYI

- You breathe about 20 times every minute.
- Your lungs are not the same size. Your left lung is a little smaller so that there is room for your heart.

1. You **inhale** (breathe in) air through your nose. The nose warms up the air. Little hairs in the nose trap dust and dirt so that the air is clean.

2. The air travels to the lungs through a long tube called the **trachea** (windpipe).

3. The lungs are like two spongy balloons. Inside the lungs are lots of little tubes. These tubes spread out like tree branches. They lead into smaller and thinner tubes.

4. At the end of the thinner tubes are air sacs. You have about 300 million air sacs in your lungs.

5. The air enters the sacs. Blood cells near the sacs exchange oxygen for carbon dioxide. Now the blood cells have oxygen. The heart will pump oxygen to the rest of the body.

6. The carbon dioxide travels through your trachea and into your nose. As you breathe out, the carbon dioxide leaves your body.

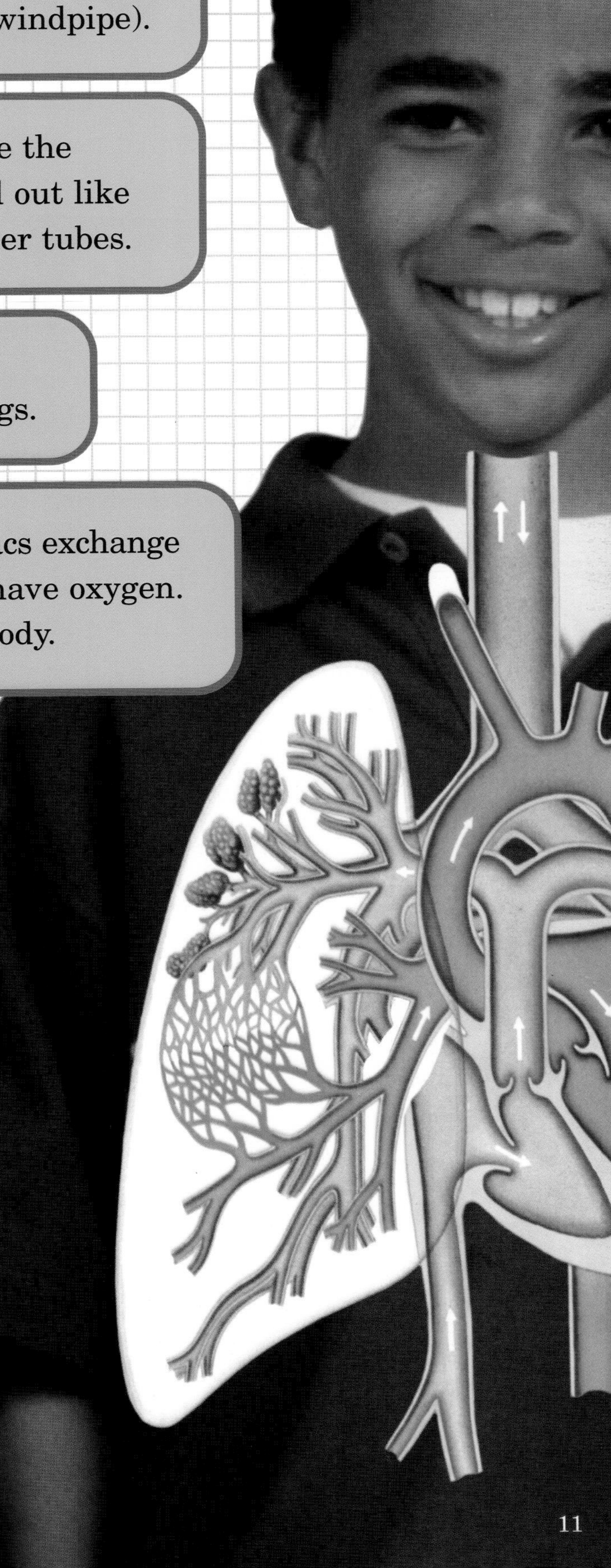

wrap up

Design a model of your lungs with a partner. You can use balloons, toilet paper rolls, plastic bags, string, etc. Using your lung creation, show another group how the lungs work.

WEB CONNECTIONS

What is an iron lung? Use the Internet to find out what this means. Write down five facts that you learn. Share your facts with a friend.

Breath of LIFE

warm up

Have you ever seen someone receive first aid during an emergency? Do you know how to perform first aid?

It was one of the hottest days of the summer. The weather forecast said it was 34 degrees Celsius but it felt more like 40 degrees. It was only eight o'clock in the morning and our apartment was already very hot. My clothes were soaked with sweat. To make matters worse, my three-year-old brother Toby was cranky. He didn't get much sleep. He was the type of kid who woke up at any little noise. Since our windows were open, the honking cars and police sirens had kept him awake all night.

"Jenny, pack your bag. We're going to visit Aunt Britta," said my Dad. I trudged to my room to pack some things. Aunt Britta lives in the suburbs. Usually I don't like going there because my cousin Sally drives me crazy. She is two years younger than I am and she follows me everywhere. Mom says it's because she looks up to me. Whatever it is, Sally gives me a headache. She talks and talks and talks about everything. However, that day, I didn't mind going to Aunt Britta's house. They have a pool.

Things started to improve as we drove out of the city. The air conditioning in the car cooled us off. Toby fell asleep right away.

Aunt Britta was waiting for us as we pulled into the driveway. "Hi everyone," she said. "I'm so happy you could come."

---

trudged: *dragged myself*

Sally came running out. She was all excited to see us. "Hi Jenny!" she yelled, with a big smile on her face. I gave her my best smile.

We all trooped into the kitchen. Something smelled really good. I hoped we were staying for lunch. Could I stand being around Sally that long? I wondered. It was going to be a real test.

Aunt Britta poured us tall glasses of iced tea. Then the adults sat down to catch up on the news. Sally hung around me, talking my ears off. She went on and on about her art camp, her favourite TV show, the beaded bracelets she was making, and how she had skipped a level in swimming.

"Jenny, I made you a bracelet too. I think you'll love it. It's orange and pink. I picked the colours just for you. It better fit you because..." Sally continued to talk, but I tuned her out. I knew it was nice of her to make me a bracelet, but did she really think I cared about anything else she said? She is two years younger than I am. What can I learn from her?

CHECKPOINT

How do we know when someone is talking in a story?

"Where is Toby?" asked Dad.

"What?" I asked. I was trying so hard to tune Sally out that I didn't realize Dad was talking to me.

"Your brother, where did he go?" he asked again.

"Sally, just peek out the window and make sure he isn't in the backyard.

Illustrated by Jan-John Rivera

He's too young to be around the pool by himself," said Aunt Britta.

All of a sudden, Sally was a flash before my eyes. What did she see in the backyard? I looked out the window and saw Toby face down in the pool. I froze. I could hear people screaming. My brain was telling my body to go, but I couldn't move. I think I heard Aunt Britta calling 911. I saw Sally dive into the pool.

CHECKPOINT

What do you think the author means by "Sally was a flash before my eyes"?

By the time I reached the backyard, Sally was kneeling over Toby. She had managed to get him out of the pool. She pinched his nose, put her mouth to his, and gave him two short breaths. She looked at his chest and put her ear to his mouth. Then she gave him another breath and counted to three. She did this a few more times. My heart was pounding and I couldn't speak. I looked at my Dad. He was kneeling beside my brother. All the colour had left his face.

Suddenly, Toby's chest started to rise. Then he went into a coughing fit. Sally turned him on his side and he coughed up a bunch of water.

The paramedics arrived moments later. They checked Toby to make sure he was all right. They said he was going to be fine! We all breathed again!

"Who performed artificial respiration?" asked a paramedic.

---

paramedics: *persons who work in ambulances and are trained in first aid*

"I did," said Sally quietly.

"You should be very proud of your-self. You saved the kid's life," replied the paramedic as he gave her a pat on the back.

"I don't know what we would have done without you, Sally," said my Dad as he hugged Toby tightly.

For the rest of the day, Toby stayed with Aunt Britta in the kitchen. He didn't go near the pool. Dad watched Sally and I swim. I listened to all of Sally's stories. Some of them were actually cool.

"Hey Sally, where is that bracelet you said you made me?" I asked.

She scrunched her face in confusion. "I didn't think you wanted it."

"Of course I want it," I said.

As Sally tied the bracelet around my wrist, I thought about how lucky I was to have her as my cousin. She had saved my brother's life. She helped Toby start breathing again after he had swallowed too much water. I can learn a lot from Sally even though she is two years younger.

wrap up

1. Write down body functions that are talked about in the story, such as sleeping. How many did you find? Compare your list with a partner's.
2. Imagine you are Jenny. Write a thank you card to Sally – for saving Toby's life and also for the bracelet she made you.

OUR FIVE SENSES

Your body has five senses to help you learn about your environment. All day long, the nerves in your eyes, mouth, skin, ears, and nose send messages to your brain. The brain makes sense of these messages and helps you react to the world around you.

warm up

What are the five senses? In the next 60 seconds, jot down what your senses are doing right now.

It's Cold Outside

How do you know that it is cold and you need a jacket? How do you know if an ant is crawling up your leg? How do you know if the bath water is too hot? Your body knows these things through touch.

Under the skin are special cells called **receptors**. These receptors can feel pain, temperature, and pressure. They send information to the brain. Then the brain decodes the receptors' information. If the receptor detects cold, this message will be sent to the brain. The brain will decode this message and tell you that you need to put on a sweater.

The most sensitive receptors are on the face, back of the neck, chest, arm, fingers, and soles of your feet. Maybe that is why some people's feet are so ticklish!

CHECKPOINT

Where do you think the skin is most sensitive?

decode: *make sense of*

Boy in coat–courtesy Mark Treleaven; all other images–istockphoto

Smell It!

Has anyone ever put food in front of your nose and said, "Smell this and tell me if it is bad"?

How can your nose tell?

Special receptors in your nose pick up the odour as you breathe in. These receptors send a message to your brain to figure out if you smell something good, like home-baked cookies, or something bad, like rotten fish.

When you have a cold and your nose is all stuffed up, your food doesn't taste as good. That's because your sense of smell helps your taste buds figure out the flavours in food. Next time you're eating, try plugging your nose and see what happens. You'll quickly notice that your food is not as tasty!

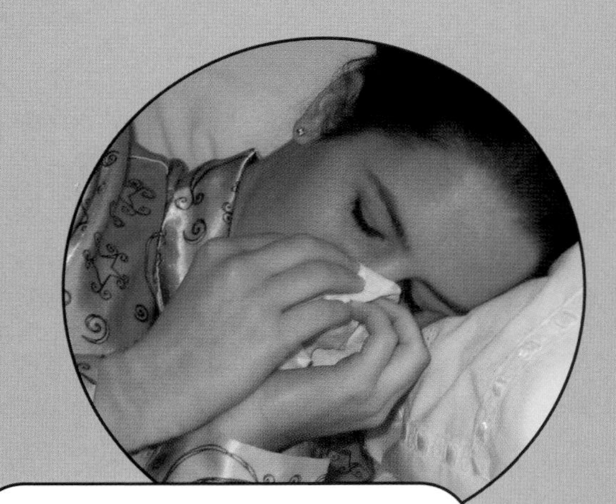

When you have a cold, food doesn't taste as good.

E-e-e-w-w-w-w ... rotten fish!

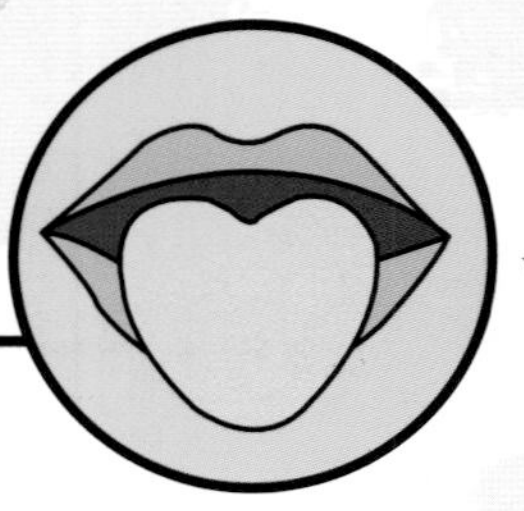

Yummy! Delicious!

The tongue is covered with tiny taste detectors called **taste buds**. Taste buds are sensitive to four basic flavours.

What happens inside your mouth when you think of your favourite food? Does your mouth start to water? Why is it that your favourite foods taste so good? Well, it all has to do with the small bumps on your tongue called **papillae**. Most of the papillae contain taste buds that send messages to your brain about how something tastes — salty, sour, bitter, sweet, spicy, too hot, too cold, or just right.

Did you know that you have approximately 100,000 taste buds on your tongue? It's true! They're replaced about every two weeks. As we grow older, our taste buds stop being replaced — that's why an older person might only have 5,000 taste buds.

What may seem very strong tasting to a young person may not taste as strong to an older person. That explains why adults can handle spicier foods better than kids.

Did you know that the tongue is a muscle? You need your tongue to eat, speak, and sing.

Seeing is Believing

"See for yourself!" How often have we heard these words? Our eyes tell us what is happening around us. Two-thirds of the information in our brain come from things we have seen with our eyes — pictures, words, colours, etc.

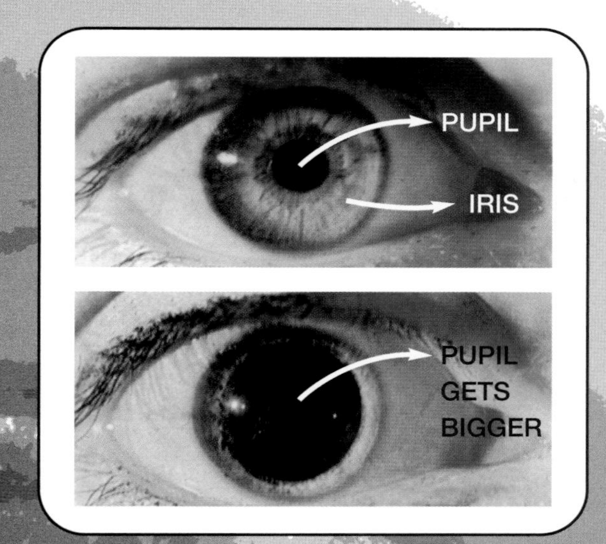

The eye is made up of many parts. When someone asks you what colour your eyes are … they are really asking: What colour is your iris? The **iris** is the part of the eye that can be green, blue, or brown.

The dark centre of the eye is called the **pupil**. Your pupil grows bigger in the dark so that more light can enter the eye. It becomes smaller when it is very bright. Ask your partner to close his or her eyes for one minute, and then open them quickly. What happens to your partner's pupils?

Here's how the eyes capture images:

1. Light bounces off the object you are looking at.
2. It enters the pupil and passes through to the lens.
3. The image is turned upside down and shines on the retina at the back of eye.
4. The optic nerve sends the image to the brain.
5. The brain turns the image right side up.

Quiet Please!

When we hear rumbling thunder and howling winds, we know a storm is raging outside. Birds' songs and children's laughter tell us it's a beautiful day. Sirens warn us of danger, and the sound of splashing water helps us relax.

Sounds give our body a lot of information that tell us how to react. Our ears pick up sound vibrations and turn these vibrations into nerve impulses that are sent to the brain. The brain decodes these signals and tells your body what to do.

Amplitude is the measurement of a sound's loudness. It is measured in decibels. The point at which you can just detect sound is 0 decibel.

Noise Chart

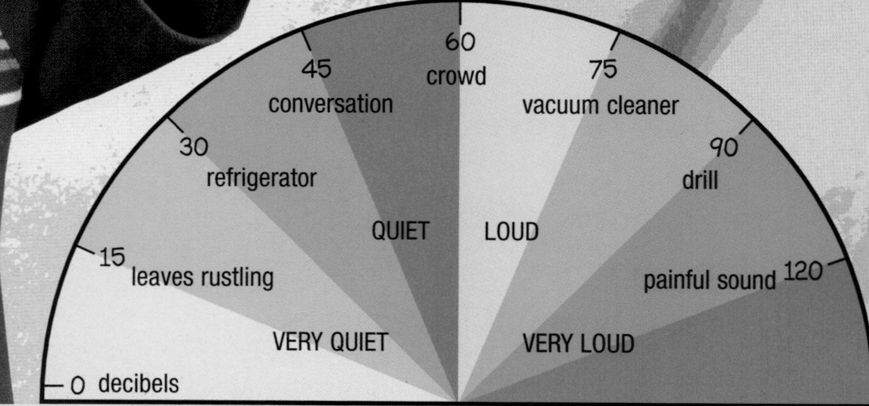

WEB CONNECTIONS

Sometimes people do not have all five senses. Using the Internet, find out what inventions exist to help people who can't hear or see. Describe one of the inventions in an oral report to your class.

wrap up

1. Do you think one sense is more important than another? With a group, try to rank them from one (most important) to five (least important).
2. With a partner, cut out pictures of people in magazines who are using their senses. Make a collage. Present this collage to the rest of the class.

Sound Off!

By Susan D. Anderson

Our bodies sound off all the time.
What noises we can make!
It happens when we're fast asleep,
or when we're wide awake.

Hands clap and slap, and fingers snap.
We cough and sneeze and snore.
Our hungry stomachs growl for food,
then rumble for some more.

Our feet tap and our bones go pop.
Our lips smack and they slurp.
But most unusual of all
is when our bottoms burp!

wrap up

1. With a partner, read the poem aloud – as one reads, the other can make the sounds.
2. Write your own poem using the sound words in this poem.

Yum! From Your Mouth To...

warm up

What do you think the stomach, small intestine, and large intestine do?

FYI

Is the large intestine bigger than the small intestine? You would think so but it's not. The small intestine is 6.5 m long while the large intestine is only 1.5 m long!

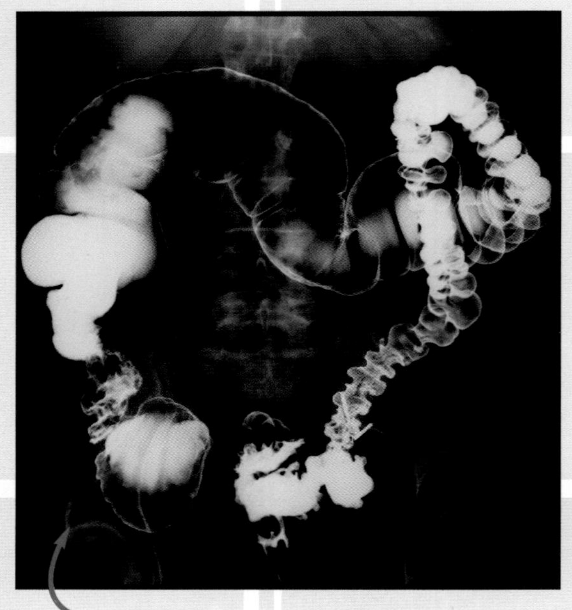

Food travelling through the large intestine.

Churn, scrunch, splash, swish, slosh ... have you ever seen a blender at work in the kitchen? Notice how all the small pieces of vegetables or meat get churned and chopped and mashed into a thick liquid? Well, that's what happens to the food you eat once it lands in your stomach.

The strong muscles in your stomach walls, with help from the gastric juices, break down the food into a thick liquid. Then the gallbladder and pancreas add even more juices to the soupy mix. These extra juices break down the food even further. The digestion process is done!

Now what happens? Your stomach pushes the thick liquid into the small intestine.

---

gastric juices: *fluids in the stomach*
gallbladder: *organ that stores juices*
pancreas: *makes juices*

The **small intestine** has a very important job to do. It takes the nutrients (the good stuff) from the digested liquids and sends them to the rest of the body. These nutrients keep us going — they give us energy and make us strong.

So the good stuff has been absorbed and put to use ... but wait ... what about the leftover stuff that has no nutrients? What happens to it? Plug your nose! It can be a stinky mess!

The leftovers get pushed into the **large intestine**. Here, the liquid is removed from the mixture and the leftovers become a solid. This solid is often referred to as waste, or feces, or you may know it as "poop."

Bacteria live in the large intestine and feed on the feces before you dump it in the toilet. In fact, the layer of bacteria in the large intestine is 2 cm thick! The bacteria are usually harmless. However, sometimes you may get food poisoning. This happens when too much dangerous bacteria enter your body. The result is diarrhea!

THE BURP

Pardon me for being rude.
It was not me, it was my food.
It got so lonely down below,
It just popped up to say hello.

— Anonymous

CHECKPOINT

Why are "small intestine" and "large intestine" in bold print?

As you read, make note of the words that make the text more interesting.

wrap up

1. List the steps your food goes through once it lands in your stomach.
2. Make as many words as you can with the letters in "intestines." Compare your list with a partner's.

WEB CONNECTIONS

Using the Internet, find out more information on the small and large intestines. Use a Venn diagram to compare the two body parts.

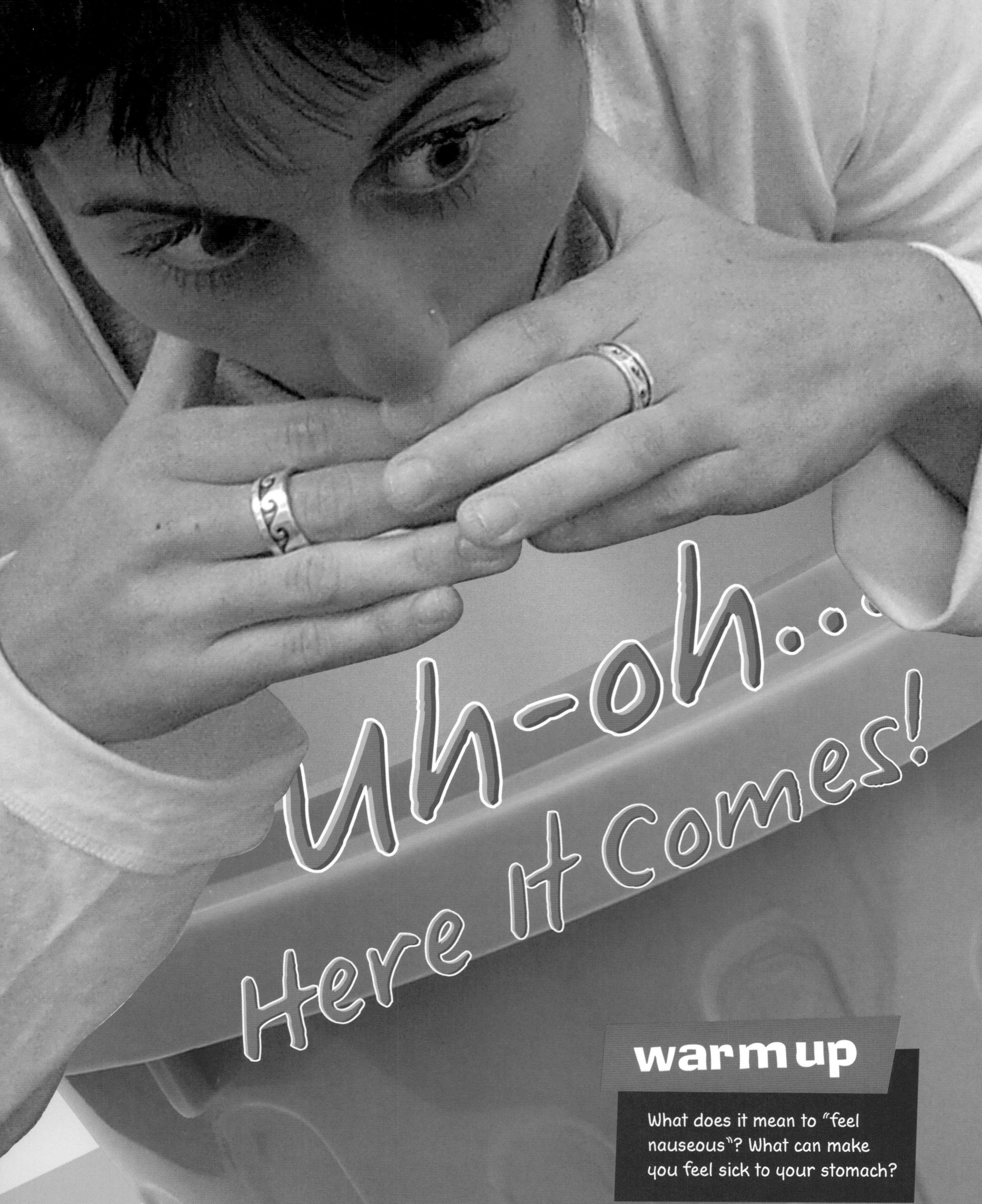

Uh-oh... Here It Comes!

warm up

What does it mean to "feel nauseous"? What can make you feel sick to your stomach?

Your skin feels cold and sweaty. Your stomach feels like it is going to explode. You scream to your buddy, "Let me off this swing ... NOW!" You dash to a washroom ... a sink ... a garbage can ... a bush ... anything!

Oops too late! *GUSH!*

Frightened children run away from you screaming, "e-e-e-w-w-w-w!"

You have just vomited a mix of corn niblets, spaghetti strands, and pickles watered down in stomach juices — all over their jungle gym!

A teacher leads you to the school nurse. As you walk, you wonder whether it was the leftover spaghetti you ate for breakfast or the peanut butter and pickle sandwich you had for lunch. Maybe you are nervous about the math test this afternoon. Or maybe it's the flu.

Whether it was a virus, rough play, or nerves — your stomach realized that the food you had eaten could not be digested. So the stomach pushed the mashed food back up through the throat into the mouth, and out.

Now your throat is burning. The nurse says it is because of the stomach acid that was mixed in with the vomit.

Before you know it, you have thrown up all over the nurse's desk ... I guess there is such a thing as too much information.

FYI

Dinosaur vomit was discovered in England in December 2002. The vomit appears to be 160 million years old. By studying the vomit, scientists hope to learn what dinosaurs ate.

wrap up

1. In a group, write a script for this article. Act out the script for the class.
2. Finish the story in the article about what happens after you are sent home from school.

Girl photo–Kerri Knibb; Garbage Bin–istockphoto

Ooey, Gooey Mucus

warm up

How do you think your body protects itself from dirt flying up your nose?

CHECKPOINT

Now you know why we sneeze. Take a guess as to why we cough.

Have you ever felt something slimy ooze out of your nose? Did you wipe it off with the back of your hand or sleeve? If you are shaking your head and saying "Yuck! *'Snot* me!" then it is time to confess! We have all done it.

The real name for snot, boogers, or sneeze juice is "mucus." Mucus can be hard and crusty or gooey and slimy.

Why does mucus come out of your nose? The air you breathe contains dirt and dust. If these things enter your body, they could harm your lungs.

When dirt enters the nose, it is stopped by little hairs. Mucus runs down these little hairs, surrounds the dirt, and traps it so it cannot go into your body.

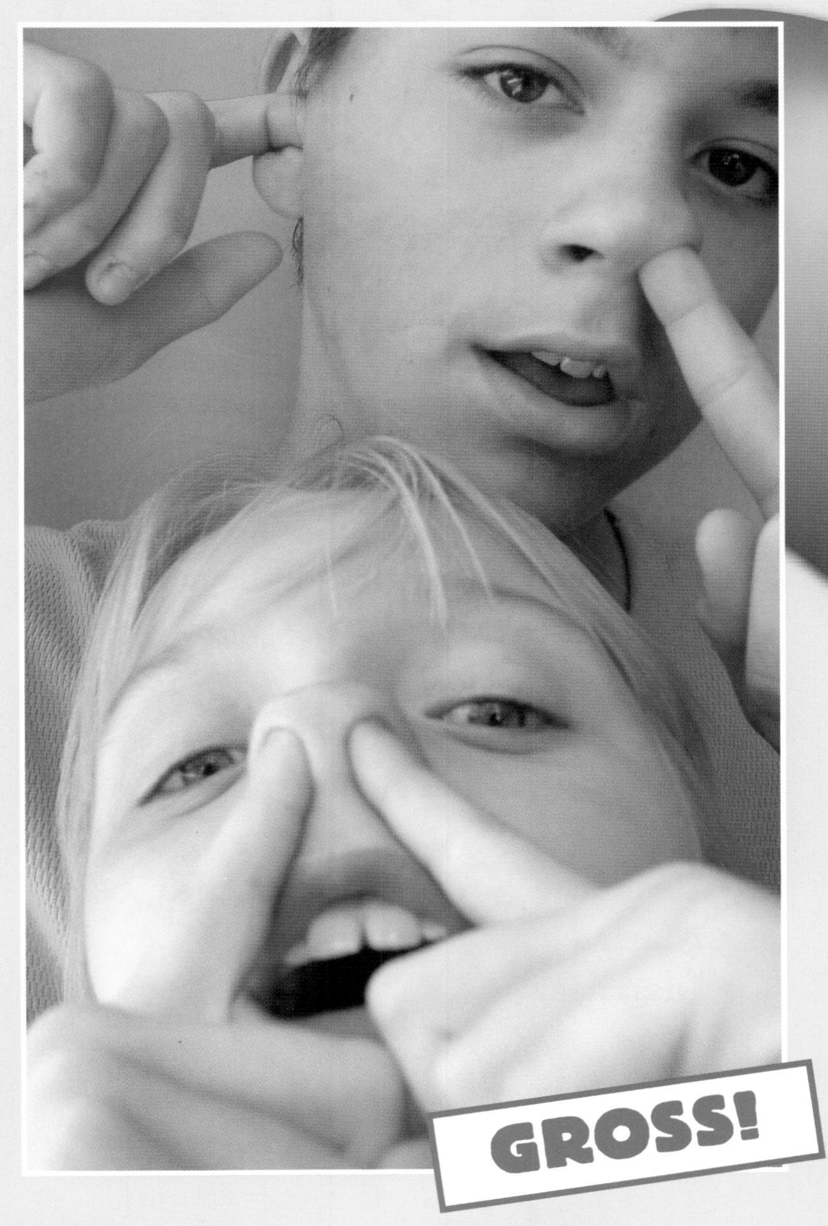

Ode To A Sneeze

I sneezed a sneeze into the air.
It fell to earth I know not where,
But hard and froze were the looks
of those
In whose vicinity I snooze.

— *Attributed to G. Wallace*

Mucus leaves the nose by leaking out — "Give me a tissue quick, my nose is running!"

Or it shoots out when you sneeze — *"ker-CHOO!"*

Or sometimes, mucus is excavated with your fingers — when you "dig for gold" in your nose!

excavated: *dug out*

FYI

Your nose makes new mucus every 20 minutes.

Sometimes mucus is green. This means it is filled with a lot of bacteria and you probably have a cold.

wrap up

Write a thank you note to your nose. You could start it with, "If it weren't for you, ..."

Kids–istockphoto

I Don't Feel So Good

warm up

Have you ever had the flu?
If so, how did you feel?

FYI

Millions of people around the world will be sick from the flu every year.

Children are more likely to get the flu than adults are.

Many elderly people actually die from the flu each year.

wrap up

1. What things do you do to make yourself feel better when you are sick? Share your tips with a friend.
2. List three things that you do every day to stay healthy.

The flu is a sneaky illness that can creep up on you out of nowhere. One day you may feel great and the next day … you've got the flu!

The flu is an infection caused by a virus. The most common symptoms are:

- Headache
- Nausea
- Diarrhea
- Body aches
- Fever

The flu is very contagious. Tiny bits of the virus travel through the air. If the person next to you sneezes or coughs, and you breathe in their "dirty" air, you can become sick … YUCK!

The best ways to protect yourself against the flu are to eat well, exercise, and wash your hands often.

---

contagious: *spreads easily to others*

Too Sick for School!

warm up

1. Have you ever "played sick" so you didn't have to go to school? What happened? Share your stories if you wish.

Nestor's Dock
by Tom LaBaff

Come on, Nestor, we'll be late for school.
I'm playing sick, Lonna.

Hunter
See?

?
Your mom will never buy that. You'll have to pretend you're really sick.
You know, mind over matter.

Here. Flu symptoms. You struggle with frequent bouts of nausea throughout the day . . .

followed by a loss of appetite . . .

. . . erratic sleep and possible nightmares.

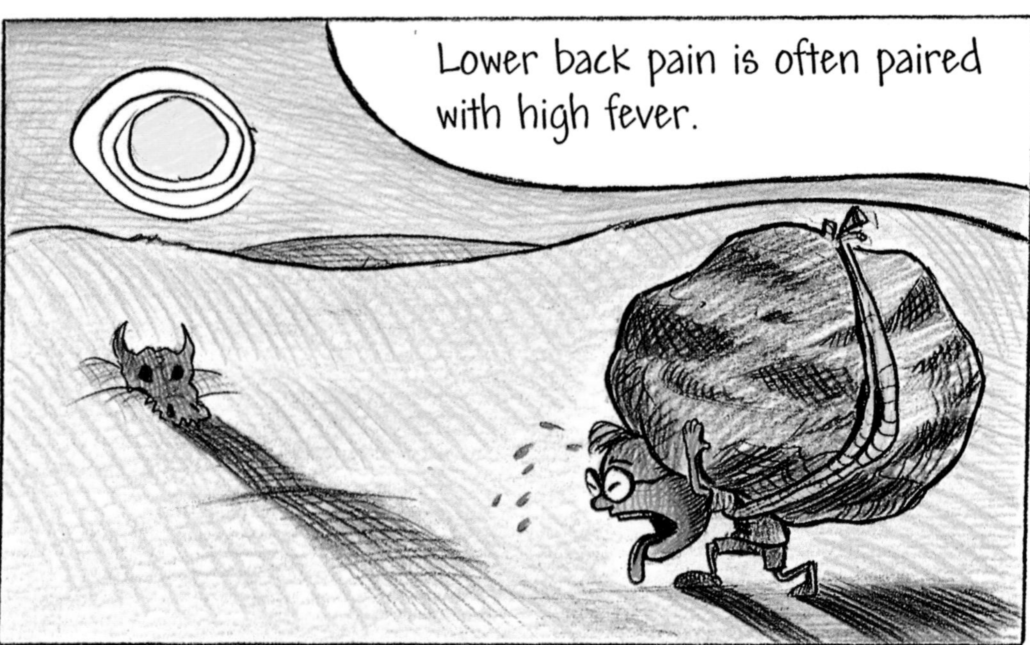
Lower back pain is often paired with high fever.

Occasionally, feelings of doom are associated with the flu, usually ending with . . .

wrap up

1. Some stories end with a twist or surprise ending. What is the twist in this story?
2. Imagine you are either Nestor or Lonna. Send an email to a friend telling him or her what happened.
3. What do you think will happen next? Continue this story by drawing three more frames (pictures).

Bare BONES

warm up

Have you ever broken a bone? If not, what do you think it would feel like?

Our skull acts like a helmet for our brain.

CHECKPOINT

Can you think of other bones that protect a body organ?

The Skeleton

Think the skeletons you see around Halloween are creepy?

Think again … there's a skeleton inside every one of us!

The skeleton is a frame of bones that holds us up and gives us shape — without them, we'd be a floppy mess, like jello!

The muscles in our bodies are attached to the skeleton. Without bones to attach to, our muscles would be a tangled mess.

Bones protect our organs — our skull acts like a helmet for our brain; our rib cage acts as a cradle for our heart and lungs.

Bones are living tissues that are always growing and changing. A baby is born with over 300 tiny, soft bones. These soft bones are made of cartilage (car-til-ij). Cartilage is the rubbery stuff on the top of your ears.

As the baby grows, the cartilage is replaced by harder bone, which contains calcium and other minerals. Over the years, bones fuse and you end up with 206 bones.

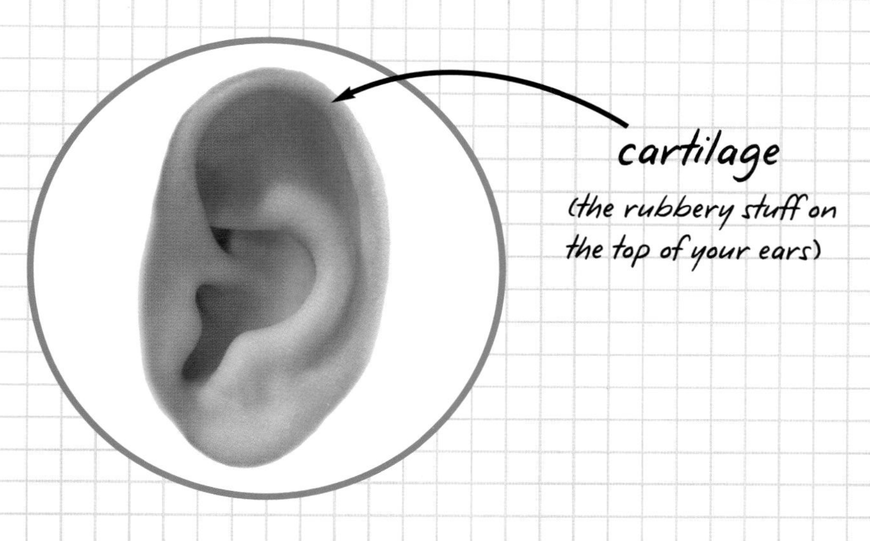

FYI

Did you know that half of the bones in your body are found in your hands and feet? These bones are harder to feel because they can be very small.

The smallest bones in your body are in your ears.

The largest bone is called the **femur**. This bone is found in your upper leg (thigh).

The Spine

The spine is a very important highway. Inside the spine runs the spinal cord — the nerves that carry information to and from the brain and the rest of the body.

Even though it holds us upright, the spine is not made of one long bone. In fact, it is made up of 26 short bones (called vertebrae) that are shaped like rings. This makes it possible for us to twist and bend.

CHECKPOINT

When we say someone is "the backbone" of the group, what do we mean? Why?

fuse: *join together*

The spine is a very important highway.

CHECKPOINT

Why is it called a "hinge" joint? Can you name another example of a hinge joint?

wrap up

1. List three reasons we need bones in our body.
2. Why is it important to keep our bones healthy? With a friend, think of three easy things you can do each day to keep your bones healthy.

WEB CONNECTIONS

Using the Internet, find out more about one of your bones. Then recreate that bone using clay or other materials. Write a paragraph explaining what the bone you chose does.

The Joints

Where two bones meet, they form a joint. There are moving joints and fixed joints. The moving joints make it possible for us to run and sit, wave and push.

Elbows and knees are hinge joints. They move only in one direction — bend and straighten.

The hips and shoulders are ball and socket joints which can move in many directions. Think of how hula dancers can twist their hips or how baseball pitchers can swing their arms in a big circle.

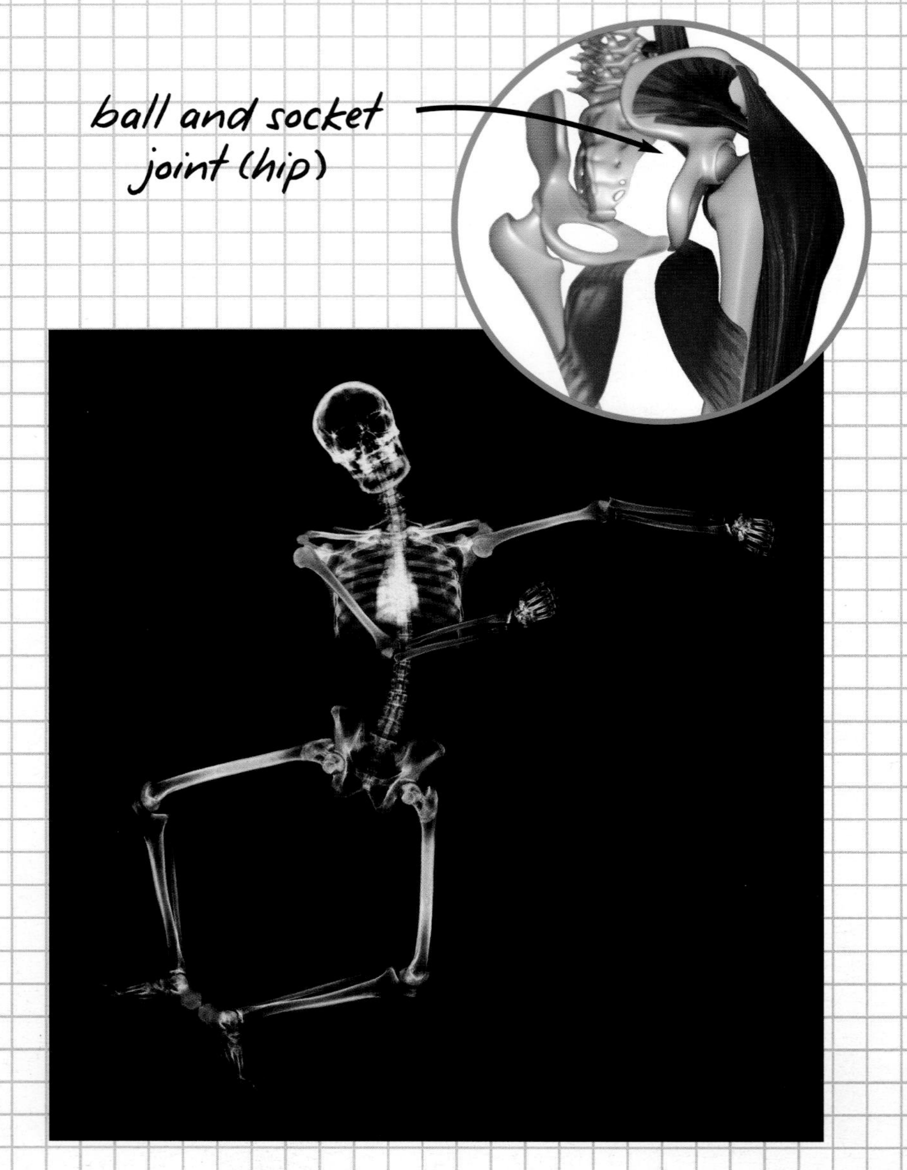

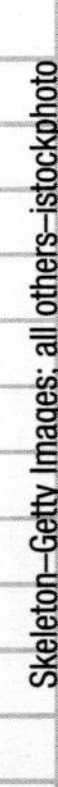

Bones

By Walter de la Mare (1913)

Said Mr. Smith, "I really cannot
Tell you, Dr. Jones —
The most peculiar pain I'm in —
I think it's in my bones."

Said Dr. Jones, "Oh, Mr. Smith,
That's nothing. Without doubt
We have a simple cure for that;
It is to take them out."

He laid forthwith poor Mr. Smith
Close-clamped upon the table,
And, cold as stone, took out his bones
As fast as he was able.

Smith said, "Thank you, thank you,
thank you,"
And wished him a good-day;
And with his parcel 'neath his arm
He slowly moved away.

forthwith: *right away*

FYI

Did you know that the thighbone (femur) makes up over one-quarter of a person's height?

Did you know that the smallest bone in your body is about 3 mm? Now that's small!

wrap up

1. Write an opening verse for this poem. Describe why Mr. Smith's bones hurt.
2. Draw a picture of what Mr. Smith would have looked liked in the beginning of the poem, and another picture of how he might have looked after surgery.

Marvellous

warm up

How many muscles do you think you have in your body?

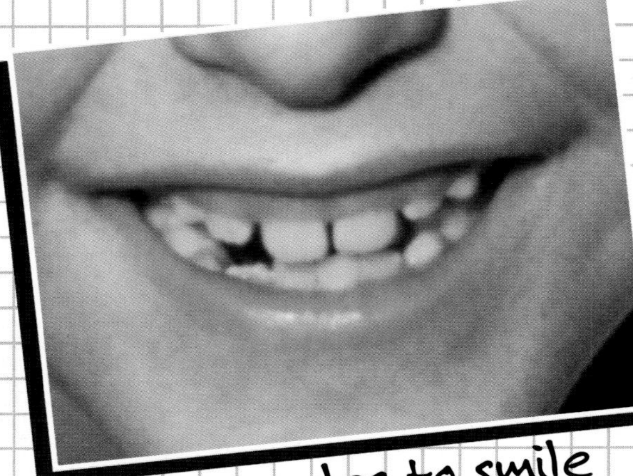

17 muscles to smile

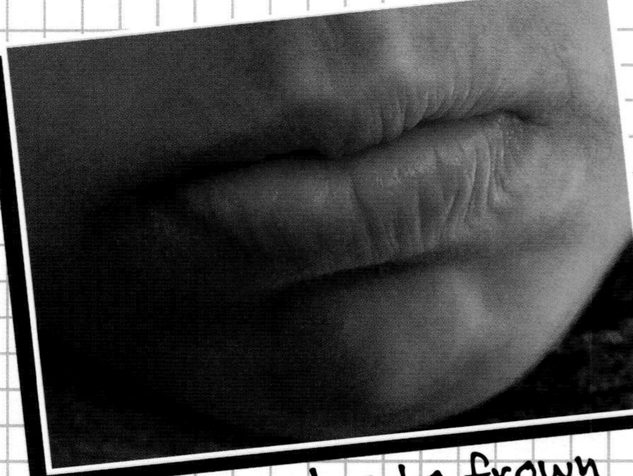

43 muscles to frown

They're working for you all the time!

Think of all the activities that you have done today. You got out of bed, brushed your teeth, showered, put on your clothes, sat down for breakfast … You have been up for barely 30 minutes and you have already used hundreds of different muscles. Isn't that amazing!

You have 650 muscles rippling inside you! You use them when you smile and you use them when you frown. You use them when you eat and you use them when you run. Your marvellous muscles make your bones move. They give your body shape. And they control your blood flow.

Muscles are made of stretchy cells called **fibres**. When these fibres contract, our bones move. Most muscles work in pairs — one set works while the other set rests. For example, when you bend your leg, the muscles at the back of your thigh contract, while the muscles in the front of the thigh stretch and relax.

---

contract: *tighten*

MUSCLES

Voluntary and Involuntary

Everyone has voluntary and involuntary muscles. The voluntary muscles are the ones that we can control at any time. There are 400 voluntary muscles in our bodies. The muscles of the arm, leg, and neck are all voluntary muscles. You decide when you want to use them — to jump, to stretch, to swing, etc.

The involuntary muscles work on their own. These muscles are controlled by your brain. Among other things, these muscles pump your heart and move blood all through your body. They move air to your lungs and push food down into your stomach for digestion.

It is important that we take care of our muscles by getting enough exercise and rest, and eating a balanced diet. If we don't care for them, our muscles sag and become useless.

FYI

There are 650 muscles in our bodies. They make up half of our body weight. Muscles even close our eyelids.

WEB CONNECTIONS

Use the Internet to find two new exercises you can do to keep your muscles in good shape.

wrap up

1. What are the differences between voluntary and involuntary muscles? Use a T-chart to organize your answer.
2. In a small group, brainstorm jobs in which strong muscles are a must. Give reasons for your choices.

The Knee-high Man

By Julius Lester

Once upon a time there was a knee-high man. He was no taller than a person's knees. Because he was so short, he was very unhappy. He wanted to be big like everybody else.

One day he decided to ask the biggest animal he could find how he could get big. So he went to see Mr. Horse. "Mr. Horse, how can I get big like you?"

Mr. Horse said, "Well, eat a whole lot of corn. Then run around a lot. After a while you'll be as big as me."

The knee-high man did just that. He ate so much corn that his stomach hurt. Then he ran and ran and ran until his legs hurt. But he didn't get any bigger. So he decided that Mr. Horse had told him something wrong. He decided to go ask Mr. Bull. "Mr. Bull? How can I get big like you?"

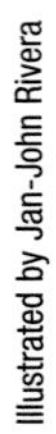
Illustrated by Jan-John Rivera

CHECKPOINT

Do you think Mr. Bull will give the knee-high man good advice?

Mr. Bull said, "Eat a whole lot of grass. Then bellow and bellow as loud as you can. The first thing you know, you'll be as big as me."

CHECK POINT

What do you think "bellow" means?

So the knee-high man ate a whole field of grass. That made his stomach hurt. He bellowed and bellowed and bellowed all day and all night. That made his throat hurt. But he didn't get any bigger. So he decided that Mr. Bull was all wrong too.

Now he didn’t know anyone else to ask. One night he heard Mr. Hoot Owl hooting, and he remembered that Mr. Owl knew everything.

“Mr. Owl? How can I get big like Mr. Horse and Mr. Bull?”

“What do you want to be big for?” Mr. Hoot Owl asked.

“I want to be big so that when I get into a fight, I can whip everybody,” the knee-high man said.

Mr. Hoot Owl hooted. “Anybody ever try to pick a fight with you?”

The knee-high man thought for a minute. “Well, now that you mention it, nobody ever did try to start a fight with me.”

Mr. Owl said, “Well, you don’t have any reason to fight. Therefore, you don’t have any reason to be bigger.”

"'But, Mr. Owl," the knee-high man said, "I want to be big so I can see far into the distance."

Mr. Hoot Owl hooted. "If you climb a tall tree, you can see into the distance from the top."

The knee-high man was quiet for a minute. "Well, I hadn't thought of that."

Mr. Hoot Owl hooted again. "And that's what's wrong, Mr. Knee-High Man. You hadn't done any thinking at all. I'm smaller than you, and you don't see me worrying about being small. Mr. Knee-High Man, you wanted something you didn't need."

wrap up

1. Pretend you are Mr. Knee-High Man. Write a journal entry about your meeting with Mr. Owl.

2. With a partner, write the lesson from this story on a piece of paper. Decorate the paper and display your work in the classroom.

Illustrated by Jan-John Rivera

8'5"
8'0"
7'5"
7'0"
6'5"
6'0"
5'5"
5'0"
4'5"
4'0"
3'5"
3'0"
2'5"
2'0"
1'5"
1'0"
0'5"
0'0"

Bean Pole or Short Stuff?

Have you ever wondered how tall you will be when you're older? Are you in the front row for the class photo or the back row? One year you may be in the front row and the next year you may be in the back row. That is the interesting thing about height — everyone is a different size and everyone grows at a different rate. This is part of what makes people interesting. There are no two people the same.

Usually children end up being as tall as their parents. That is because when we were born, our parents passed their genes on to us. Genes help decide how tall the body will be. It is also important to eat well, exercise, and get enough sleep to give your body the energy to grow.

According to *Guiness World Records*, the tallest man in history was Robert Pershing Wadlow from the USA. He was 8 feet 11.1 inches (2.72 m).

Five IMPOSSIBLE Tricks

warm up

People enjoy watching magic tricks. What are some of your favourite tricks? If you can, perform a trick for the class.

Our bodies are pretty amazing machines — but there are some things we simply cannot do. Check it out for yourself!

Kiss Your Elbow
No cheating — I mean the very tip of your elbow, not the inside of your arm. Well, can you? I can't — and I've never met anyone else who could.

Sticky Fingers

- Press your hand flat against a table with the fingers spread a little.
- Now lift your hand a bit, and tuck your middle finger under, so that the first two sections are pressing against the table.
- Keeping all your other fingers pressed against the table, lift your thumb. No problem?
- One at a time, lift your baby finger, and then your forefinger.
- Now, lift your ring finger. Oh-oh! It's stuck to the table!

Balance Challenge
Stand beside a wall with your right side against it. Press the edge of your right foot against the wall. Now try to lift your left foot without falling over. (It can't be done. To lift your left foot without losing your balance, you'd have to lean right — but the wall stops you from doing this.)

Gasp!
Breathe in through your nose. (If you have a cold, you may have to quit right now!) Swallow. Easy? Now breathe in through your nose and swallow at the same time. (Nobody can do this. It's your body's way of keeping breathing separate from swallowing food.)

Hey, Your Eyes Are Stuck!

- Look straight ahead. Roll your eyeballs up towards the back of your head. Don't tilt your head back.
- Close your eyelids.
- With your eyes rolled up, try to open your eyes again.
- Your eye muscles won't let you do it. They're already keeping your eyes rolled up — and they'd have to work in the opposite direction to let you raise your lids.

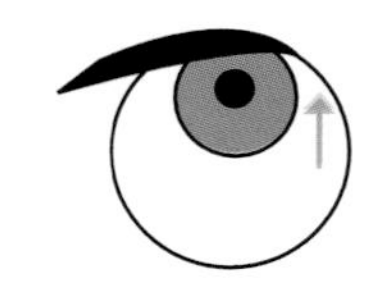

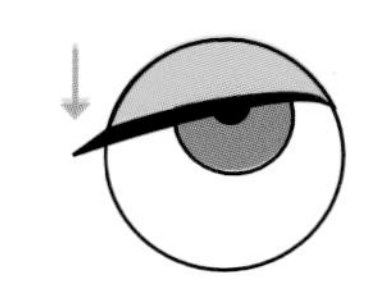

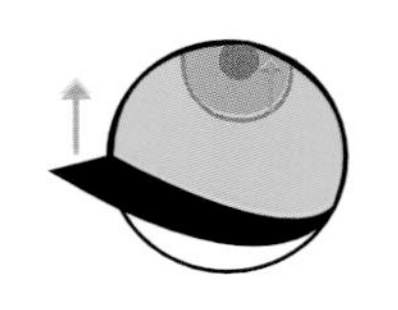

wrap up

When you do a science experiment, you write a report of what you found out. With a partner, try the tasks described above. Together, write a short report of your findings.

Illustrations by Sarah Anderson; background image–istockphoto

GET OFF THE

warm up

What sports or recess games do you play? Why do you enjoy these activities?

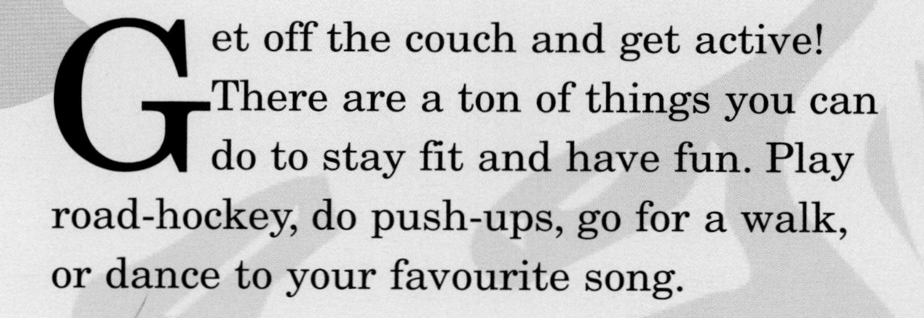

Get off the couch and get active! There are a ton of things you can do to stay fit and have fun. Play road-hockey, do push-ups, go for a walk, or dance to your favourite song.

When you exercise your body becomes stronger. If you are strong and healthy your body and your mind will feel good.

CHECKPOINT

What does the author mean by this?

Exercise Makes Your Heart Stronger 

It's true! The heart is a muscular organ that pumps blood around your body. You can strengthen your heart by doing aerobic (air-o-bik) exercise.

Background–istockphoto

COUCH—Keep Fit!

When you perform aerobic exercise, you will notice that your breathing becomes faster and your heart beat quickens. When this happens your body temperature rises and you begin to sweat. Sweating is the body's way of cooling off.

Exercise Strengthens your Muscles

Everyday we use approximately 600 muscles. Even doing an easy task such as washing our hair involves hundreds of muscles. By exercising regularly we can make sure that our muscles stay strong. Challenge your muscles by doing activities like push-ups, pull-ups, rowing, in-line skating, etc.

Exercise Keeps the Balance

Every time you eat, your body turns food into fuel. This fuel gives your body energy. It's just like putting gas in a car! The more active you are, the more food your body will need. Exercise and eating well will keep you at the top of your game.

---

aerobic: *with air*

FYI

Did you know that every time you exercise, your brain releases chemicals called "endorphins." Endorphins act like a mood booster because they make you feel happier.

Dancing, biking, basket-ball, skipping, and walking are all examples of aerobic activities.

CHECKPOINT

Why do you think the author uses subtitles?

wrap up

With a partner, create an exercise schedule for a week. Think of a different activity for each day. Now try to keep to the schedule. Report to the class how you feel after a week.

FIT AS LANCE

warm up

List the muscles that you use when riding a bicycle.

FYI

- Cycling for 10 minutes at a moderate speed can burn 35-50 calories.
- Did you know that cycling is one of the best aerobic activities for your heart?
- The Tour de France course is approximately 3388 km long.

wrap up

1. Use two words to describe Lance Armstrong and provide proof from the profile.
2. Create a poster showing how do you think cycling helps you keep fit.

At the age of 13, Lance Armstrong was already proving to be an incredible athlete when he won the Iron Kids Triathlon. Lance soon found that he loved cycling more than running and swimming. He chose to focus his energy on his favourite sport. Soon, the national cycling team took notice and invited young Lance to work out with them, while he was still a senior in high school.

In 1996, while at the top of his sport, Lance Armstrong got the shocking news that he had cancer. He was given a 40 percent chance of recovering. Lance fought against the odds and recovered from this life-threatening disease. He returned to the one sport that he loved best — cycling.

In 1999, Lance won his first Tour de France competition making him the number one ranked cyclist in the world. Amazingly enough, Lance has gone on to win five more Tour de France competitions. A truly remarkable achievement!

Triathlon: *an endurance race combining three consecutive events (swimming, bicycling, and running).*

Name that ORGAN!

Some parts of our body have nicknames. Identify which organ or part of the body the names below refer to.

1. **Ticker**
   - ❑ Heart
   - ❑ Brain
   - ❑ Stomach

2. **Breadbasket**
   - ❑ Liver
   - ❑ Spleen
   - ❑ Stomach

3. **Adam's Apple**
   - ❑ Part of voice box
   - ❑ Part of leg
   - ❑ Part of toe

4. **Wheels**
   - ❑ Legs
   - ❑ Hips
   - ❑ Arms

5. **Beak**
   - ❑ Ears
   - ❑ Mouth
   - ❑ Nose

6. **Peepers**
   - ❑ Toes
   - ❑ Elbows
   - ❑ Eyes

7. **Choppers**
   - ❑ Jaws
   - ❑ Teeth
   - ❑ Gastric juices

8. **Mane**
   - ❑ Head
   - ❑ Hair
   - ❑ Heart

9. **Mitts**
   - ❑ Arms
   - ❑ Feet
   - ❑ Hands

10. **Funny Bone**
    - ❑ Humerus
    - ❑ Head
    - ❑ Pancreas

Turn to page 48 for the answers

Heart Quiz Answers

Your heart is approximately the size of...
a) two eyeballs glued together
b) a kneecap
(c) a clenched fist

How much blood is in the human body?
a) 1 L
(b) 5 L
c) 8 L

How long does it take for the blood to complete one trip around the body?
a) 23 seconds
b) 45 seconds
(c) 60 seconds

The heart symbolizes...
a) knowledge
b) squishy strawberries
(c) love

Name that Organ Answers

1. **Ticker**
   - ☑ Heart
   - ❑ Brain
   - ❑ Stomach
2. **Breadbasket**
   - ❑ Liver
   - ❑ Spleen
   - ☑ Stomach
3. **Adam's Apple**
   - ☑ Part of voice box
   - ❑ Part of leg
   - ❑ Part of toe
4. **Wheels**
   - ☑ Legs
   - ❑ Hips
   - ❑ Arms
5. **Beak**
   - ❑ Ears
   - ❑ Mouth
   - ☑ Nose
6. **Peepers**
   - ❑ Toes
   - ❑ Elbows
   - ☑ Eyes
7. **Choppers**
   - ❑ Jaws
   - ☑ Teeth
   - ❑ Gastric juices
8. **Mane**
   - ❑ Head
   - ☑ Hair
   - ❑ Heart
9. **Mitts**
   - ❑ Arms
   - ❑ Feet
   - ☑ Hands
10. **Funny Bone**
    - ☑ Humerus
    - ❑ Head
    - ❑ Pancreas

ACKNOWLEDGEMENTS

The publisher gratefully acknowledges the following for permission to reprint copyrighted material in this book.

Every reasonable effort has been made to trace the owners of copyrighted material and to make due acknowledgement. Any errors or omissions drawn to our attention will be gladly rectified in future editions.

Vatsala Krishnakumar: "Identify the Organ," copyright 2004. http://www.dimdima.com/science/Quiz/show quiz.asp?q aid=14&q title=Identify%20the%20Organ.

"The Knee-High man," from *The Knee-High Man and Other Tales* by Julius Lester, copyright © 1972 by Julius Lester. Used by permission of Dial Books of Young Readers, A division of Penguin Young Readers Group, A Member of Penguin Group (USA) Inc., 345 Hudson Street, New York, NY 10014. All rights reserved.

David Suzuki and Barbara Hehner: "5 Things You Never Do," adapted from "Something To Do, Six Impossible Tricks," from *Looking at the Body*, Stoddart Publishing Co. Limited, copyright 1987.

"Welcome to Nestor's Dock" and "Nestor's Dock" by Tom LaBaff reprinted by permission of Cricket Magazine Group, Carus Publishing Company, from ASK magazine, January 2004, Vol. 3, No. 1, © 2003 by Carus Publishing Company.

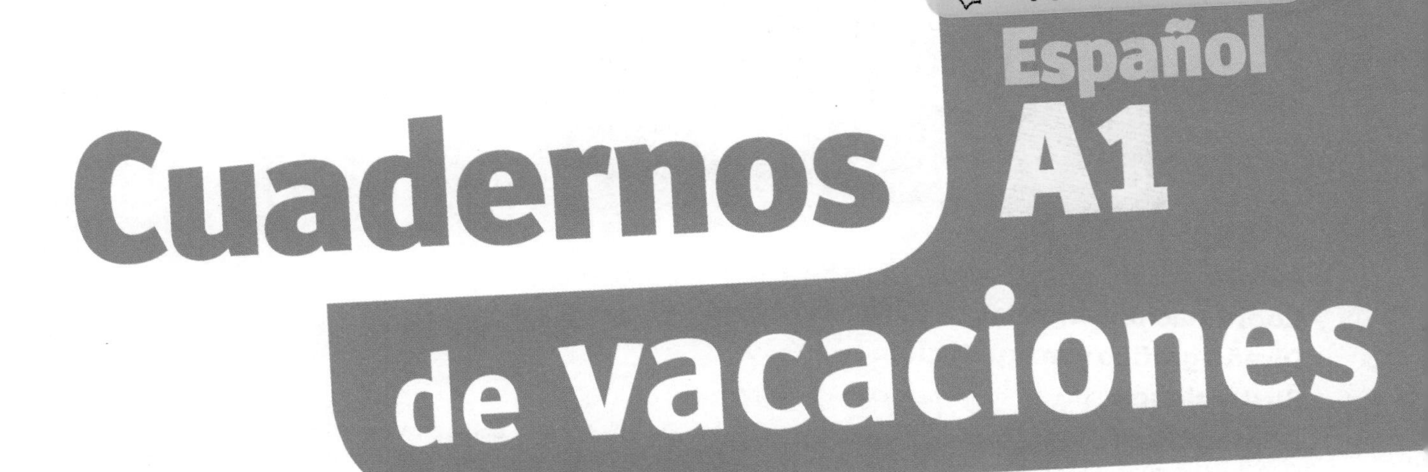

Actividades de repaso de la lengua española para la secundaria

Matilde Martínez Sallés

Cuadernos de vacaciones Español A1

Autora: Matilde Martínez Sallés
Coordinación editorial: Gema Ballesteros Pretel
Diseño gráfico y maquetación: Enric Font
Ilustraciones: Ernesto Rodríguez (cómic) y Enric Font

© **Fotografías:** **Cubierta:** © Alberto Loyo/www.photaki.es-Ernesto Rodríguez. **Contra:** © manatus/www.photaki.es. **Unidad 1:** p. 12 creative studio/Fotolia.com; p. 14 Mrallen/Dreamstime.com, ALCE/Fotolia.com, Ulita/Dreamstime.com, maveric2003/Flickr.com, fotobeam.de/Fotolia.com. **Unidad 2:** p. 20 Les Cunliffe/Fotolia.com; p. 24-25 Dinópolis (Teruel). **Unidad 3:** p. 28 Alexandr Mitiuc/Dreamstime.com, Artzzz/Dreamstime.com, Alexmit/Dreamstime.com, Romantiche/Dreamstime.com, Fckncg/Dreamstime.com, Photobac/Dreamstime.com; p. 29 Ruslan Kudrin/Fotolia.com, Sergey/Fotolia.com, thepoo/Fotolia.com, dimedrol68/Fotolia.com, Sergii Moscaliuk/Fotolia.com, mickyso/Fotolia.com; p. 32 Horiyan/Dreamstime.com, Dtopal/Dreamstime.com, Diver721/Dreamstime.com, Aiisha/Dreamstime.com, Ruthblack/Dreamstime.com, archinte/Fotolia.com, Veniamin Kraskov/Fotolia.com; p. 34 Son of Groucho/Flickr.com, sultancillo/Flickr.com, vito7/Flickr.com; p. 35 oh-barcelona.com/Flickr.com. **Unidad 4:** p. 40 Janceluch/Fotolia.com, robert/Fotolia.com, Alena Kovalenko/Fotolia.com, Natalia Merzlyakova/Fotolia.com, www.santillana-del-mar.com; p. 44 A. Louche/Fotolia.com, Rudolf Ullrich/Fotolia.com, Argonautis/Fotolia.com, Cristina Bedia/Fotolia.com. **Unidad 5:** p. 48 andreasnikolas/Fotolia.com, Cesartarragona/Dreamstime.com, Catia70/Dreamstime.com, Fotosmurf02/Dreamstime.com; p. 50 Mrallen/Dreamstime.com, LysFoto/Fotolia.com, Paop/Dreamstime.com, Rafael Ben-Ari/Fotolia.com; p. 54 Natursports/Dreamstime.com, Andjic/Dreamstime.com. **Unidad 6:** p. 58 oxilixo/Fotolia.com, DenisNata/Fotolia.com, Farinoza/Fotolia.com, cynoclub/Fotolia.com, Stefan Andronache/Fotolia.com, Vitaly Krivosheev/Fotolia.com, a9luha/Fotolia.com, Subbotina Anna/Fotolia.com, pedrosala/Fotolia.com; p. 59 olgavolodina/Fotolia.com, Felix Mizioznikov/Fotolia.com, vektorisiert/Fotolia.com; p. 61 joaquin croxatto/Istockphoto.com: p. 64 ollirg/Fotolia.com, nasko/Fotolia.com, roberaten/Fotolia.com, joserpizarro/Fotolia.com, Oscar1319/Dreamstime.com, KaYann/Fotolia.com. **Unidad 7:** p. 68 nito/Fotolia.com, jmboix/Fotolia.com, Sergio Martínez/Fotolia.com, somchaisom/Fotolia.com, kuppa/Fotolia.com, Anna Kucherova/Fotolia.com; p. 69 IrinaNo/Fotolia.com, Rob Byron/Fotolia.com, trucobelami/Fotolia.com, alexandrulogel/Fotolia.com; p. 74 Trexec/Dreamstime.com, Gabrieldome/Dreamstime.com, Beboy/Fotolia.com, Ppy2010ha/Dreamstime.com, Adrián Kurzen/Fotolia.com, efesan/Fotolia.com, Comugnero Silvana/Fotolia.com. **Unidad 8:** p. 78 Matteo/Fotolia.com, Matteo/Fotolia.com, rodri_goplay/Fotolia.com, indianspirit/Fotolia.com, dan chenier/Fotolia.com, francesco pirrone/Fotolia.com, tr3gi/Fotolia.com, JohanSwanepoel/Fotolia.com, coffeemill/Fotolia.com, davemhuntphoto/Fotolia.com, lfrabanedo/Fotolia.com, Maury Mauser/Fotolia.com, stbogart/Fotolia.com, Susan Moss/Fotolia.com; p. 80 Jemiller/Dreamstime.com, Katesheredeko/Dreamstime.com, Lunamarina/Dreamstime.com, Larisap/Dreamstime.com, Lext/Dreamstime.com; p. 84 ggallice/Flickr.com, GOC53/Flickr.com, PHOTOPOLITAIN/Fotolia.com; p. 85 rãvi/Flickr.com, hotshotsworldwide/Fotolia.com, MikeMurga/Flickr.com, Gabriel Gonzalez G./Fotolia.com, loflo/Fotolia.com, RobertsJ/Fotolia.com, Morris White/Fotolia.com.

Todas las fotografías de www.flickr.com están sujetas a una licencia de Creative Commons (reconocimento 2.0 y 3.0).

Grabación CD: Difusión. **Locutores:** Ada Bernaus, Iñaki Calvo, Mireia Conesa, Mar Estanyol, Pablo Garrido, Anna Gómez, Judit-Annaïs Gutiérrez, Raúl López, Jaime Montes, Carmen Mora, Núria Murillo, Laia Sant, Marcel Tena, Sergio Troitiño. **Música:** "Salpicumbia", Javi y su Pregobanda/Jamendo; "Dos caras", Eva María/Jamendo; Enric Català; "E.G.O.", El Klan de los DeDeTe/Jamendo; Pol Wagner. **Efectos de sonido:** Freesound: rhumphries, pagancow, reinsamba, patchen, philippe_b, pecaeldries, msorbo, prosounder, volivieri, digifishmusic, sagetyrtle, jeancazas, andre-rocha-nascimento, lg, benboncan, sonsdebarcelona, smokum, cmusounddesign, exuberate, kontest1, robinhood76, grigore, y_b9312, herbertboland, bmoreno, jorickhoofd, quistard, yolttasound. **Técnico de sonido:** Enric Català/Blindrecords.

Agradecimientos: Pablo Garrido y Laia Sant de Difusión. Luis Alcalá y Pilar Vilarroya de Dinópolis (Teruel).

Barcelona 2013
ISBN: 978-84-15620-91-4
Depósito legal: B-3670-2013
Impreso en España por Novoprint

C/ Trafalgar, 10, entlo. 1ª
08010 Barcelona
Tel. (+34) 93 268 03 00
Fax (+34) 93 310 33 40
editorial@difusion.com

www.difusion.com

Querido/a alumno/a:

El cuaderno que tienes en tus manos te va a servir para repasar el español que has estudiado durante este curso.

En tu trabajo te acompañarán Los Genios, un grupo de amigos que se van a un campamento de vacaciones a Santander, en el norte de España. Allí conocerán a otros chicos y chicas que llegan desde otros lugares del país y se divertirán juntos.

Para que puedas manejarlo con mayor destreza, te contamos cómo está estructurado este cuaderno de ocho unidades que se corresponden con las ocho semanas de campamento.

Cada unidad contiene:

- **Una primera doble página con el cómic** de las aventuras de Los Genios y sus amigos, así como actividades de comprensión de lectura y comprensión auditiva. Antes de leer el cómic puedes hacer la actividad marcada para entrar en el tema. Después de leerlo, podrás también contestar algunas preguntas según tus experiencias personales. Son las actividades con el icono Mis cosas.
- **"Para hablar de"** es una sección dedicada a repasar los contenidos de comunicación y vocabulario.
- **"Fíjate bien"** es una sección para trabajar los temas gramaticales más importantes.
- En la sección **"Por escrito"** encontrarás una propuesta para que escribas textos breves relacionados con el tema de la unidad. En ella podrás pegar fotos sobre tu vida, tus conocimientos y tus experiencias personales.
- La última sección se titula **"Ventana al mundo del español"**, y está dedicada a temas de cultura del mundo hispano relacionados con la unidad. Igual que en la sección del cómic, antes de leer los textos puedes hacer una actividad que te ayudará a activar tus conocimientos sobre el tema y comprender mejor el texto.

Las **Soluciones** y los **Repasos** están disponibles on-line. En los **Repasos** encontrarás una actividad de comprensión de lectura, una de comprensión auditiva, una de expresión o interacción oral, otra de producción escrita y un test.

Recuerda que una lengua extranjera es como un deporte: para dominarlo hay que practicarlo cada día. Estamos seguros de que si haces todas las actividades de este cuaderno, tu nivel de español mejorará y llegarás en plena forma al curso que viene.

Espero que este cuaderno te guste, que lo pases bien haciéndolo y que aprendas mucho.

¡Buen verano!

Matilde Martínez Sallés

Índice

PRIMERA SEMANA: LOS GENIOS

Antes de leer el cómic

Busca en el diccionario la palabra genio. ¿Cómo se dice en tu lengua? ¿Por qué crees que estos chicos y chicas se llaman Los Genios?

Genios

La ESO es la Educación Secundaria Obligatoria. Viene después de la escuela primaria y dura cuatro años: desde los doce hasta los dieciséis. El sistema educativo español está estructurado de esta manera: la educación primaria dura seis años, la secundaria obligatoria dura cuatro años y el bachillerato dura dos años.

Actividad 1

Lee los diálogos del cómic. Luego, completa el texto con las palabras del recuadro.

España ✓ cinco amigos ✓ viven ✓
se llaman ✓ son estudian

Los Genios se llaman un grupo de amigos chicos y chicas que viven en Albarracín, Teruel (España). estudian 1.º de la ESO. Son muy cinco y muy inteligentes.

Actividad 2

Ahora escucha los diálogos y contesta a las preguntas. Si quieres, puedes leer el cómic mientras escuchas.

01

1. ¿Cuántas chicas y cuántos chicos hay en el grupo de Los Genios?
2. ¿Qué edad tienen?
3. ¿Dónde viven?
4. ¿Qué estudian?
5. ¿Dónde estudian?
6. ¿Por qué se llaman Los Genios?

Actividad 3

Mis cosas

Contesta a estas preguntas con los recursos del apartado Para hablar de.

1. ¿Cómo te llamas? Yo me llamo Maddy.
2. ¿Cuántos años tienes? Yo tengo 12 años
3. ¿Dónde vives? Yo vivo en Toronto.
4. ¿Qué estudias? Yo estudio en Blessed Sacrement.
5. ¿Dónde? Yo soy de Toronto.
6. ¿Cuántas lenguas hablas? Yo hablo 1 lengu.
7. ¿A cuál de Los Genios te pareces? Los Genies te parces Clara Romero.

LÉXICO
decidida:
unido:

LOS GENIOS

Los Genios son un grupo de amigos que estudian en un instituto de Albarracín, Teruel (España). Tienen 12 años y acaban de terminar 1.º de la ESO (Educación Secundaria Obligatoria).

HOY GRABAN UNA PRESENTACIÓN PARA UN TRABAJO DE CLASE.

¡HOLA! ME LLAMO KRIS ALMANSA LORENTE. TENGO 12 AÑOS. ME GUSTA LA TECNOLOGÍA Y LA FOTOGRAFÍA. SOY MUY CURIOSA.
Y TAMBIÉN MUY DECIDIDA.
REC 00:05
HOLA, YO SOY VÍCTOR VIBORNOV GÓMEZ. MIS ABUELOS Y MI PADRE SON RUSOS Y MI MADRE, ESPAÑOLA.
TENGO 12 AÑOS. ME GUSTA ESCRIBIR CUENTOS, POEMAS Y LETRAS DE CANCIONES. TAMBIÉN ME GUSTAN MUCHO LOS IDIOMAS. HABLO RUSO, INGLÉS, ITALIANO Y FRANCÉS. Y ESPAÑOL, CLARO.
REC 00:45
HOLA A TODOS. MI NOMBRE ES CINDY MARÍA Y MIS APELLIDOS, CASTILLO RUEDA. MIS PAPÁS SON COLOMBIANOS, DE CARTAGENA DE INDIAS. ¿QUÉ ME GUSTA? ME GUSTAN LAS MATEMÁTICAS Y BAILAR. ¡AH! Y TENGO 12 AÑOS.
¡BAILA MUY BIEN!
REC 01:03
HOLA, SOY JUAN CARLOS. JUAN CARLOS MOLINA CUESTA. ME GUSTA LA HISTORIA. ME GUSTA MUCHO LEER. TAMBIÉN TENGO 12 AÑOS.
NO SÉ QUÉ DECIR MÁS. EUHHH... SOY TÍMIDO.
REC 01:30

BUENOS DÍAS. ME PRESENTO: SOY CLARA ROMERO ALTAMIRANO. ME LLAMAN CLARITA. MI FAMILIA ES DE PUYO, ECUADOR. TENGO 12 AÑOS. A MI ME GUSTA LA MÚSICA. TOCO EL ACORDEÓN. TAMBIÉN ME GUSTA EL DIBUJO. ENCANTADA DE ESTAR CON VOSOTROS. ¡ADIÓS!
¡CLARITA, ERES UNA ARTISTA!
REC 01:47

ESTUDIAMOS 1°. DE LA ESO EN UN INSTITUTO DE ALBARRACÍN Y VIVIMOS EN ESTA CIUDAD. SOMOS UN GRUPO MUY UNIDO. NOS LLAMAMOS LOS GENIOS PORQUE SOMOS... ¡GENIALES!
REC 02:25

Deletrear

¿Cómo se escribe tu apellido?

¿Me lo puedes deletrear?

¿Con acento?

¿Con hache o sin hache?

a	a	**n**	ene
b	be	**ñ**	eñe
c	ce	**o**	o
d	de	**p**	pe
e	e	**q**	cu
f	efe	**r**	erre
g	ge	**s**	ese
h	hache	**t**	te
i	i	**u**	u
j	jota	**v**	uve
k	ka	**x**	equis
l	ele	**y**	i griega
m	eme	**z**	zeta

Me llamo Víctor. Os deletreo mi apellido: uve, i, uve, o, erre, ene, o, uve. Es un apellido ruso.

En español los nombres de las letras son femeninos.

@	arroba	:	dos puntos
.	punto	;	punto y coma
,	coma	–	guión

- ¿Me puedes decir tu dirección de correo electrónico?
- ○ Gema, con **una eme**. Después **arroba**, **ce**, **de**, **uve**, **punto**, **e**, **ese**.
- ¿Así? gema@cdv.es.
- ○ ¡Perfecto!

Los números

1	uno	**11**	once
2	dos	**12**	doce
3	tres	**13**	trece
4	cuatro	**14**	catorce
5	cinco	**15**	quince
6	seis	**16**	dieciséis
7	siete	**17**	diecisiete
8	ocho	**18**	dieciocho
9	nueve	**19**	diecinueve
10	diez	**20**	veinte

Presentarse

- **Mi nombre es** Cindy María y mis apellidos, Castillo Rueda.
- ○ **Yo soy** Juan Carlos Molina Cuesta.

Hola, me llamo Kris Almansa Lorente. Tengo doce años. Vivo en Albarracín.

En la mayoría de países de habla hispana se usan los dos apellidos: el del padre y el de la madre.

Saludar

Hola, ¿qué tal?
¿Cómo estás?
Bien, ¿y tú?

En España es habitual darse dos besos en las mejillas para saludarse.

Preguntar y responder sobre datos personales

- ¿**Cómo** te llamas?
- (Me llamo) Jorge Romero Armentia.
- ¿**Cuántos** años tienes?
- (Tengo) 12 años.
- ¿**Dónde** vives?
- En Zaragoza.
- ¿**Qué** estudias?
- Primero de la ESO.
- ¿**De dónde** eres?
- Soy español.
- ¿Y tus padres?
- Mi padre es argentino y mi madre, española.
- ¿**Qué** idiomas hablas?
- Español, inglés y francés.
- ¿**Cuál** es tu correo electrónico?
- jorger@telenet.es.
- ¿Tienes móvil?
- Sí, es el 696257698.
- ¿**Te gustan** los deportes?
- Sí, mucho.

La familia

Mi padre + mi madre: mis padres
Mi abuelo + mi abuela: mis abuelos
Mi hermano + mi hermana: mis hermanos
Mi hermano + mi hermano: mis hermanos
Mi hermana + mi hermana: mis hermanas

Expresar gustos

A mí me gusta la música.

(A mí) (A ti) (A él/ella/usted) (A nosotros/as) (A vosotros/as) (A ellos/ellas/ustedes)	**me** **te** **le** **nos** **os** **les**	gusta	mucho	**la música**. (sustantivo singular) **leer**. (infinitivo)
		gusta**n**		**las matemáticas**. (sustantivo plural)

El carácter

Kris es **curiosa** y **decidida**.
Juan Carlos es **tímido**.
Los Genios son **geniales**.

Abel es **desordenado**.

Carlos es **ordenado**.

Olalla es **simpática**.

Irene es **antipática**.

0178
85

Noa y Tomás son **deportistas**.

Actividad 4

Escribe las siguientes palabras.

1. a, eme, i, ge, o
   ....
2. eme, u con acento, ese, i, ce, a
   ....
3. uve, a, ce, a, ce, i, o, e, ene, e, es
   ....
4. ese, o, ele
   ....
5. e, ese, pe, a, eñe, o, ele
   ....

Actividad 5

02

A. Escucha la conversación y une las preguntas con las respuestas.

¿Cómo te llamas? ●	● Sí, mucho. Tengo un gato.
¿Cuántos años tienes? ●	● Primero de la ESO.
¿Dónde vives? ●	● En Sevilla.
¿Qué estudias? ●	● Once años.
¿Te gustan los animales? ●	● Irina Sánchez Flores.

B. Ahora escribe la pregunta adecuada.

1. ....
   Soy española.
2. ....
   Mi padre es español y mi madre, rusa.
3. ....
   Irsf@gmail.com.
4. ....
   Español, ruso, inglés y alemán.
5. ....
   Sí, es el 676342675.

Actividad 6

Deletrea tu nombre y tu apellido.

....

....

Actividad 7

A. Completa estas frases con gusta o gustan.

1. A Juan Carlos le .... la Historia.
2. A Víctor le .... los idiomas.
3. A Kris le .... la tecnología.
4. A Clarita le .... la música.
5. A nosotros nos .... los deportes de aventura.
6. A Iris le .... los animales.

B. ¿Cómo se dice en tu lengua?

Me gustan mucho los animales.

....

Me gusta leer.

....

A Clarita le gusta la música.

....

Nos gustan las matemáticas.

....

Actividad 8

Escribe en letras.

1. Cinco + ocho = ...
2. Diez - tres = ...
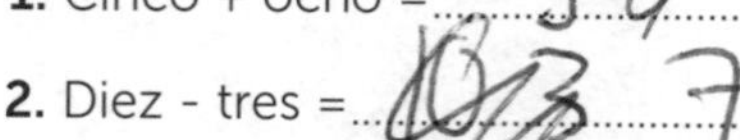
3. Cuatro + dos = ...
4. Seis + nueve = ...
5. .... + ... = once
6. .... - .... = cinco
7. .... + ... - .... = catorce

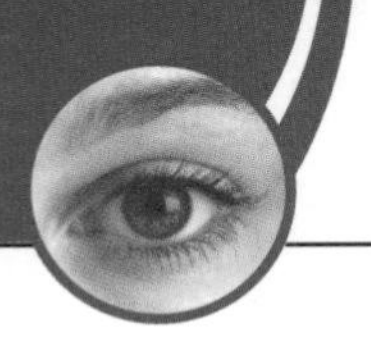

Los verbos *ser, tener* y *llamarse*

ser

yo	soy
tú	eres
él/ella/usted	es
nosotros/nosotras	somos
vosotros/vosotras	sois
ellos/ellas/ustedes	son

tener

yo	tengo
tú	tienes
él/ella/usted	tiene
nosotros/nosotras	tenemos
vosotros/vosotras	tenéis
ellos/ellas/ustedes	tienen

llamarse

yo	**me**	llamo
tú	**te**	llamas
él/ella/usted	**se**	llama
nosotros/nosotras	**nos**	llamamos
vosotros/vosotras	**os**	llamáis
ellos/ellas/ustedes	**se**	llaman

¡Hola! Soy Juan Carlos.
Tengo 12 años.
¡Hola! Me llamo Kris.

Actividad 9

Relaciona a estas personas con el pronombre personal que le corresponda.

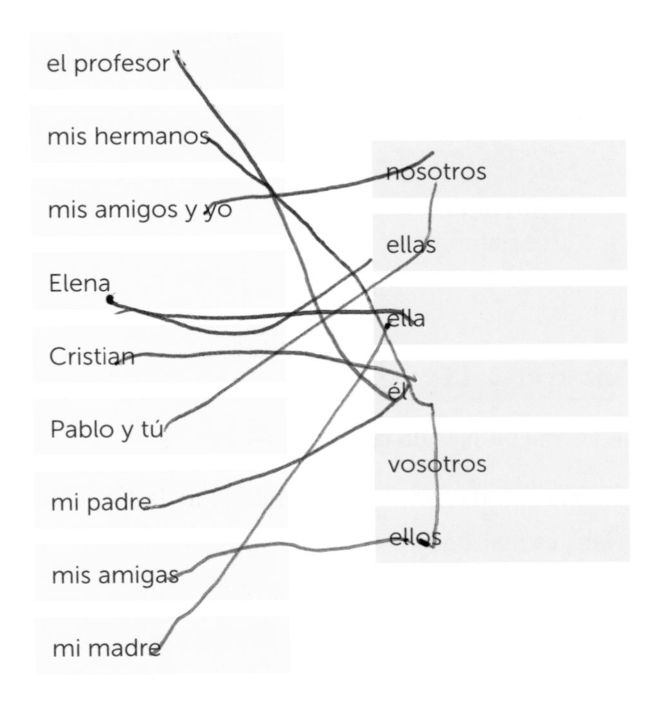

Actividad 10

Completa con el verbo ser, tener o llamarse.

1. ● ¿De dónde ....?
   ○ Yo .... español, pero mis padres .... argentinos.
2. ● ¿Os gustan los animales?
   ○ Sí, mucho. .... dos tortugas, un perro y un hámster.
3. ● ¿Cómo .... tu amigo?
   ○ Carlos. .... catorce años. Y .... muy simpático.
4. ● (Toc, toc)
   ○ ¿Quién ....?
   ● .... yo, Macarena.
5. ● ¿Cómo .... tu gato?
   ○ Pantuflo.
6. ● ¿................ algún instrumento de música?
   ○ Sí. .... un acordeón.

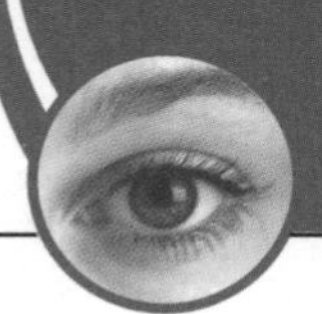

Fíjate bien

Los artículos

Indeterminados		Determinados	
un libro **unos** amigos	**una** flauta **unas** chicas	**el** libro **los** amigos	**la** flauta **las** chicas

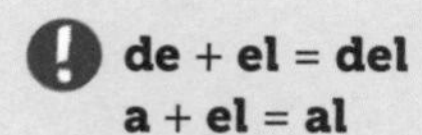

de + el = del
a + el = al

El libro **del** profesor
Vamos **al** cine.

Los nombres: el género y el número

En español hay nombres masculinos y femeninos.

Masculino	Femenino
el chico el grupo	la chica la fotografía

El masculino y el femenino de las nacionalidades

Maneras de formar el femenino:

-o / -a	Algunos adjetivos tienen dos formas.	italiano italiana
+ a	Algunos femeninos se forman añadiendo al masculino una **-a**.	holandés holandesa
=	Algunos adjetivos tienen la misma forma para el masculino y para el femenino.	belga

Actividad 11

A. Forma parejas de la misma nacionalidad.

Teo es canadiense	Edith es inglesa
Nabil es marroquí	Helga es alemana
Michel es francés	Hanna es canadiense
Joao es brasileño	Lieve es holandesa
Geert es holandés	Sukaina es marroquí
Joe es inglés	Catherine es francesa
Detlev es alemán	Caudia es colombiana
Fernando es colombiano	Jenni es brasileña

B. Clasifica las nacionalidades del apartado anterior en esta tabla.

-o / -a	Algunos adjetivos tienen dos formas.	colombiano colombiana
+ a	Algunos femeninos se forman añadiendo al masculino una **-a**.	
=	Algunos adjetivos tienen la misma forma para el masculino y para el femenino.	

Actividad 12

Escucha el texto y rellena la siguiente ficha.

03

Nombre: ....

Apellidos: ....

....

Edad: ....

Lugar de residencia: ....

....

Estudios: ....

....

Idiomas que habla: ....

....

Gustos: ....

....

Actividad 13

Escribe tu propia presentación: cómo te llamas, dónde vives, de dónde eres, de dónde son tus padres, qué estudias, cómo eres (¿tímido/a? ¿decidido/a? ¿curioso/a?), qué te gusta... Ilustra tu presentación con algunas fotos.

Actividad 14

Antes de leer el texto, contesta estas preguntas.

1. ¿Qué ciudades de tu país consideras que tienen alguna característica que las hace diferentes?
....
....
2. ¿Por qué? ....
....
....
3. ¿Qué ciudades de tu país tienen puerto?
....
....
4. ¿Qué ciudades de tu país tienen restos arqueológicos? ....
....
....

CIUDADES CON ENCANTO

USHUAIA

Se encuentra al sur de Argentina, en la Tierra de Fuego. Está cerca de las ultimas montañas de los Andes y tiene un puerto bastante importante. Ushuaia recibe a muchos turistas en invierno para esquiar y en verano para observar animales antárticos, como pingüinos y lobos marinos, o bien para practicar deportes de aventura.

PUYO

Esta ciudad sirve de entrada a la selva amazónica ecuatoriana. Puyo no es una ciudad importante por su arquitectura, pero la visitan muchos turistas porque desde allí salen las rutas que permiten contemplar la fauna y la flora de la Amazonía ecuatoriana y visitar las comunidades más escondidas de la selva.

ALBARRACÍN

Albarracín es una pequeña ciudad construida sobre un monte. Tiene restos romanos y árabes. Está rodeada de murallas. Sus calles son estrechas y empinadas y sus casas están pintadas de color rojizo. Albarracín está situada en el este de España y está declarada Monumento Nacional.

CÁDIZ

Es una ciudad situada en el extremo sur de España y sus playas dan al Océano Atlántico. Cádiz es una ciudad muy antigua que tiene restos arqueológicos de fenicios, cartagineses, romanos y árabes. A lo largo de los siglos ha tenido mucha importancia en la historia de España. Su centro histórico es muy bello y monumental. También es conocida por sus artistas de flamenco y por sus largas y bellísimas playas.

CARTAGENA DE INDIAS

Es una ciudad colombiana. Su puerto es uno de los más importantes del mar Caribe. Cartagena de Indias es una joya de la arquitectura colonial y está declarada Patrimonio de la Humanidad por la Unesco.

LÉXICO

pingüinos: ....
lobos marinos: ....
empinadas: ....
rojizo: ....
restos arqueológicos: ....
....
una joya: ....
colonial: ....

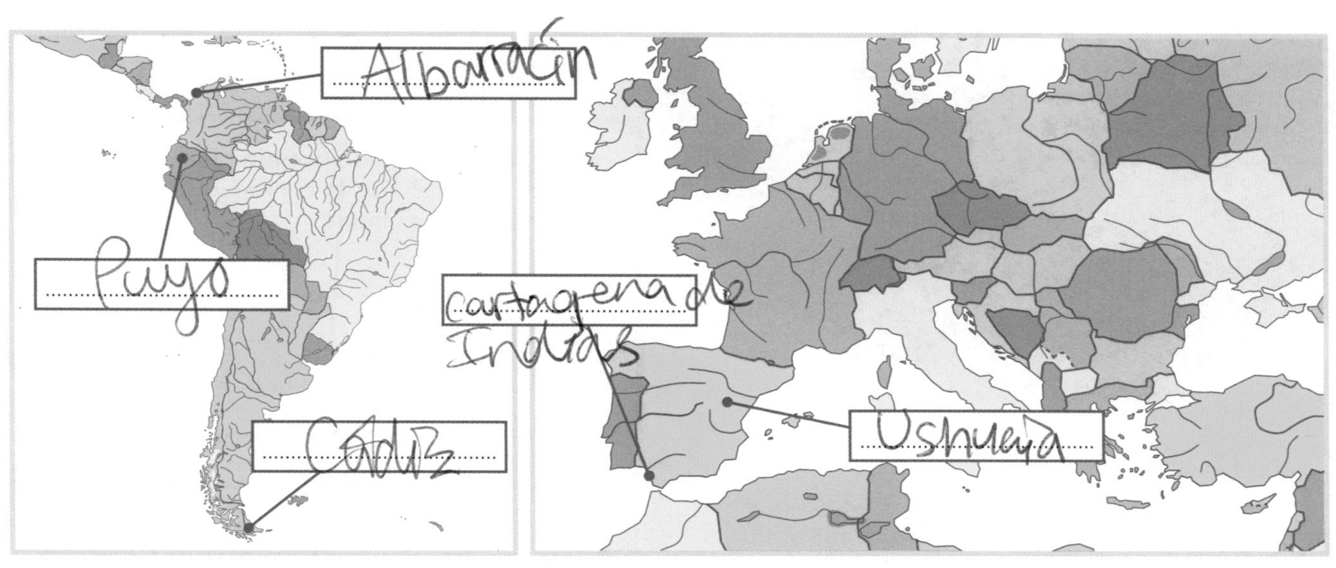

Actividad 15

Después de leer el texto, contesta estas preguntas.

1. Escribe en los mapas el nombre de las ciudades que aparecen en el texto.
2. Cita qué ciudades están en América y en qué países. ....
3. Cita qué ciudades están en Europa y en qué países. ....
4. ¿Qué ciudades tienen puerto? ....
5. ¿Qué ciudades son importantes por su historia?
   Cádiz y Cartagena de Indias son importantes por su historia.
6. ¿Qué ciudad es Patrimonio de la Humanidad? ....
7. ¿Qué ciudad es la que está más al sur?
   Cartagena está más al sur.
8. ¿A qué ciudad o ciudades hay que ir para poder realizar estas actividades?
   - observar pingüinos: Ushuaia
   - visitar la selva amazónica: Puyo
   - hacer deportes de aventura: ....
   - escuchar flamenco: Cádiz
   - bañarse en el mar: ....

Actividad 16

Explica cuál de las ciudades del texto te gustaría visitar y por qué.

....

Actividad 17

Imagina que visitas una de estas ciudades. Escribe un mail a un amigo contándole lo que ves.

De:
Para:
Asunto:

SEGUNDA SEMANA: EL PREMIO

Antes de leer el cómic

¿Sabes qué es un **premio**? ¿Cómo se dice en tu lengua? ¿De qué premio crees que va a hablar esta unidad?

....

....

....

....

Actividad 1

Lee los diálogos del cómic y completa el texto con las palabras del recuadro.

profesora	**premio** ✓	**semana**
campamento ✓	**cinco**	**grupo** ✓

Los Genios son un ......grupo...... de ......premio...... chicos y chicas. Son los ganadores de un ......campamento...... por un trabajo escolar. El premio es una ......semana...... en un ......cinco...... multiaventura en Potes. La ......profesora...... es felicita.

Actividad 2

04

A. Ahora escucha los diálogos y contesta a las preguntas. Si quieres, puedes leer el cómic mientras escuchas.

1. ¿En qué mes ocurre esta escena?

   ....

2. ¿Cómo se llaman los chicos y chicas del grupo Los Genios? ......Se llaman son......

   ....

3. ¿Cómo se llama el trabajo premiado?

   ....

LÉXICO

ganadores: ....

premiado: ....

curso escolar: ....

B. Vuelve a escuchar el documento y responde a las preguntas eligiendo una de las opciones.

1. ¿Dónde está Potes?
   a) En el norte de España.
   b) En el sur de España.
2. ¿Todos Los Genios está contentos con el premio?
   a) Sí, todos están contentos.
   b) Clarita no está contenta.
3. ¿Qué crees que le pasa a Clarita?
   a) Está triste porque tiene un secreto.
   b) Tiene miedo.

Actividad 3

Contesta a estas preguntas con los recursos del apartado Para hablar de.

1. ¿En qué mes empiezas el curso escolar?

   ....

2. ¿En que mes terminas el curso escolar?

   ....

3. ¿En qué meses tienes vacaciones?

   ....

4. ¿Conoces España? ¿Qué ciudad o qué lugares?

   ....

5. ¿Conoces algún otro país en el que se habla español? ....

6. ¿Qué actividades crees que se hacen en un campamento multiaventura? ....

   ....

EL PREMIO

JUNIO
1 2 3
4 5 6 7 8 9 10
11 12 13 14 15 16 17
18 19 20 21 22 23 24
25 26 27 28 29 30

CHICOS, CHICAS, AQUÍ TENGO LOS GANADORES DEL PREMIO "APRENDER EN EQUIPO".

Y AHORA, EL PREMIO: UNA SEMANA EN EL CAMPAMENTO MULTIAVENTURA EN POTES, CANTABRIA, ES PARA EL GRUPO LOS GENIOS POR EL TRABAJO "LA RUTA DE LOS DINOSAURIOS". FELICIDADES A KRIS...

¡GRACIAS! ¡QUÉ BIEN!
¡BIEN!
¡BRAVO!
¡FELICIDADES!

... A JUAN CARLOS Y A CINDY MARÍA...
SÍ ¡ES FANTÁSTICO!
¿MULTIAVENTURA?
¡BIEN!

...Y A VÍCTOR Y CLARITA.
¡GRACIAS! ESTOY MUY CONTENTO.
GRACIAS.

FELICIDADES A LOS GANADORES. Y ¡BUEN VERANO A TODOS! ¡HASTA EL CURSO QUE VIENE!

¿QUÉ TE PASA, CLARITA?
NO, NO, NO... ES QUE... NADA.
¿NO ESTÁS CONTENTA?
¿TIENES MIEDO?

Felicitar

¡Felicidades!
¡Gracias!
¡Muchas gracias!

Los meses del año

Enero
Febrero
Marzo
Abril
Mayo
Junio
Julio
Agosto
Septiembre
Octubre
Noviembre
Diciembre

junio

			1	2	3	4
5	6	7	8	9	10	11
12	13	14	15	16	17	18
19	20	21	22	23	24	25
26	27	28	29	30	31	

Día, semana, mes

Un día
Una semana
Un mes

En España, las vacaciones escolares empiezan la última semana de junio y terminan la segunda semana de septiembre, así que los alumnos tienen más de dos meses de vacaciones de verano.

Despedirse

¡Adiós!
¡Hasta luego!
¡Hasta mañana!
¡Hasta pronto!
¡Hasta el año que viene!
¡Hasta el curso que viene!

Estados físicos y sentimientos

- ¿Qué te pasa?

\+
- Nada. Estoy bien.
- ¡Estoy contenta! ¡Tengo un premio!

–
- Me encuentro mal.
- Tengo miedo.
- Estoy triste.

Situar en un mapa

en el norte (de)
al norte (de)

en el sur (de)
al sur (de)

en el oeste (de)
al oeste (de)

en el este (de)
al este (de)

en el centro (de)

Exclamar

¡Qué alegría!
¡Qué ilusión!
¡Qué bien!
¡Es fantástico!
¡Qué divertido!
¡Bravo!
¡Bien!

¡Qué miedo!
¡Qué aburrido!
¡Qué feo!
¡Qué horror!
¡Qué rollo!

Actividad 4

A. Observa y completa.

20	veinte
21	veintiuno
22	veintidós
23	veintitrés
24	veintiquatro
25	veinticinco
26	vientisese
.....	veintisiete
28	vientiocho
.....	veintinueve

30	treinta
31	treinta y uno
32	treinta y dos
33	treinta y tres
34	treenta y quatro
.....	treinta y cinco
.....	treinta y seis
.....	treinta y siete
38	treinta y septe
39	treinta y ocho

40	cuarenta
41	cuarenta y uno
42	cuarenta y dos
43	cuarenta y tres
44	cuarenta y quatro
45	cuarenta y cinco
46	cuarenta y seize
47	cuarenta y sete
.....	cuarenta y ocho
49	cuarenta y nueve

50	cincuenta
.....	cincuenta y uno
52	....
53	....
.....	cincuenta y cuatro
55	....
.....	cincuenta y seis
57	....
58	....
.....	cincuenta y nueve

B. Completa las series.

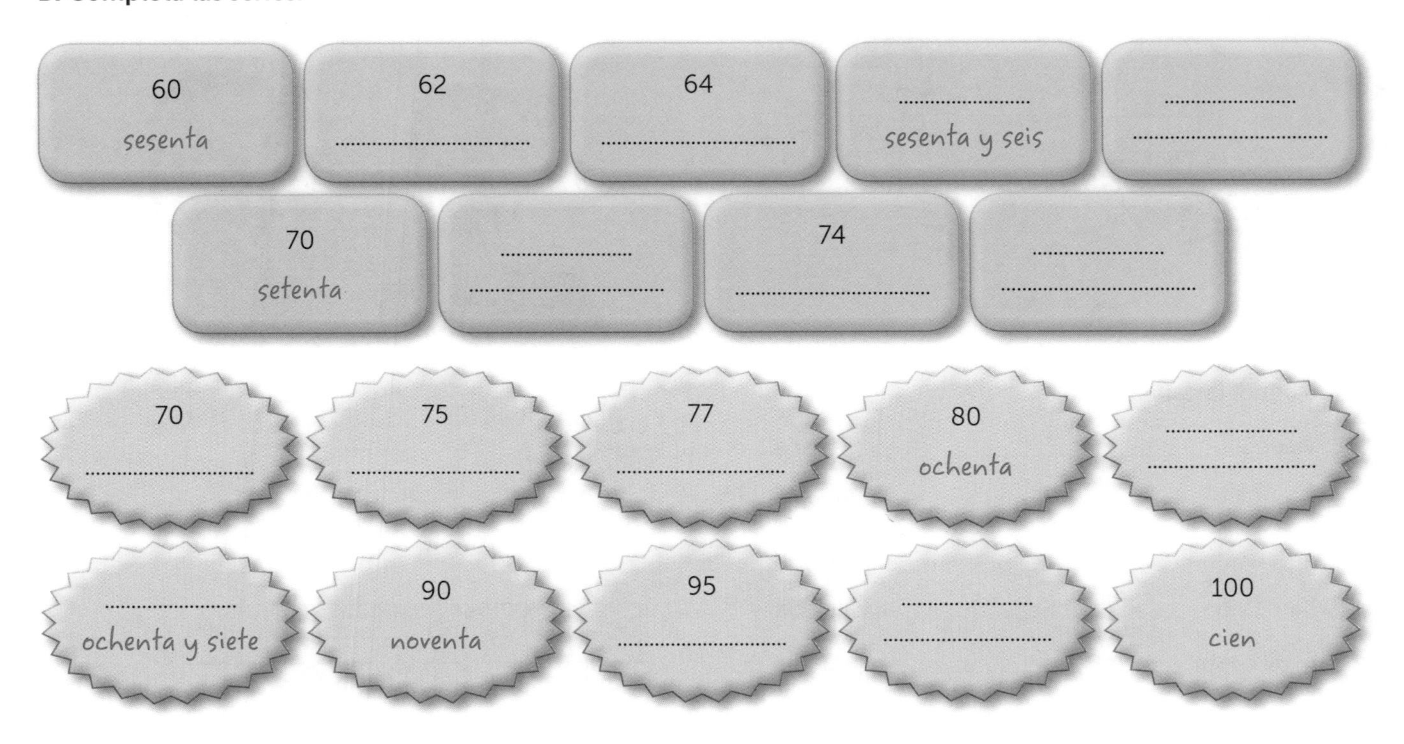

Actividad 5

Completa las frases.

Un día tiene .... horas.

.... siete días.

.... o treinta y un días.

Actividad 6

Mira el mapa de España y escribe dónde están algunas de las ciudades más importantes.

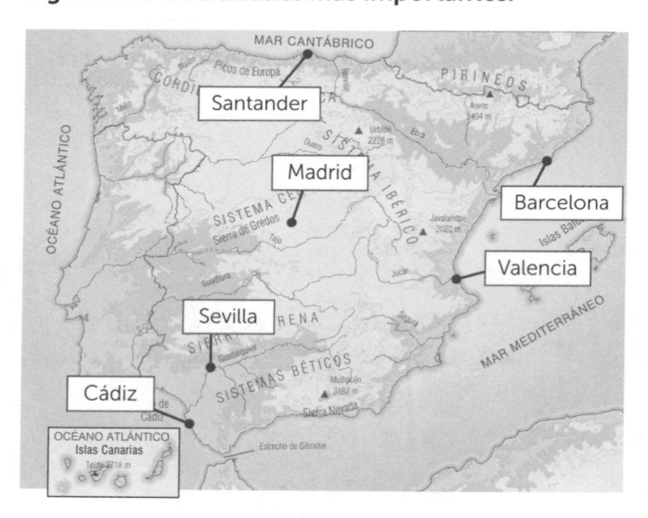

1. Madrid, la capital, está .... España.
2. Valencia .... España.
3. .... España.
4. .... España.
5. Barcelona .... Valencia.
6. Sevilla está .... Cádiz.

Actividad 7

Une cada una de las imágenes con la frase correspondiente.

1. ¡Qué calor!
2. ¡Qué pena!
3. ¡Qué frío!
4. ¡Qué aburrido!
5. ¡Qué bonito!
6. ¡Qué feo!
7. ¡Qué sueño!
8. ¡Que daño!

A	B	C	D	E	F	G	H
3					5		

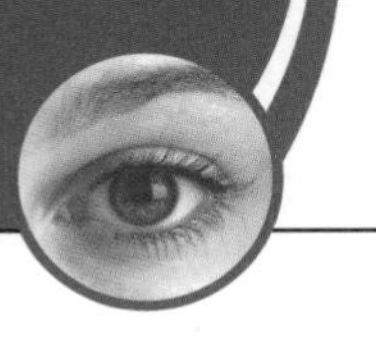

La forma interrogativa, la forma afirmativa y la forma negativa

- ¿Estás triste, Clarita?
- No, no estoy triste. Me duele la cabeza.

- ¿Vais de vacaciones a Madrid?
- No. Vamos a Cádiz.

Actividad 8

Une cada pregunta con su repuesta.

¿Buenos Aires está en España?	No. No está en el este, está en el norte.
¿Los chicos van a Mallorca?	¡Muy contento!
¿Cuándo vais de vacaciones? ¿En julio?	No. En Argentina.
¿Cómo estás?	No. Van a Cantabria.
¿Dónde está Potes? ¿En el este de España?	No. En agosto.
¿Cuándo es tu cumpleaños?	No, voy a la biblioteca.
¿Vas a clase?	Me encuentro mal.
¿Qué te pasa?	En abril.

Los verbos regulares

estudiar

yo	estudi**o**
tú	estudi**as**
él/ella/usted	estudi**a**
nosotros/nosotras	estudi**amos**
vosotros/vosotras	estudi**áis**
ellos/ellas/ustedes	estudi**an**

leer

yo	le**o**
tú	le**es**
él/ella/usted	le**e**
nosotros/nosotras	le**emos**
vosotros/vosotras	le**éis**
ellos/ellas/ustedes	le**en**

escribir

yo	escrib**o**
tú	escrib**es**
él/ella/usted	escrib**e**
nosotros/nosotras	escrib**imos**
vosotros/vosotras	escrib**ís**
ellos/ellas/ustedes	escrib**en**

Estos verbos son regulares. Siguiendo su modelo puedes conjugar muchos otros verbos, por ejemplo **hablar**, **tocar**, **beber** y **vivir**.

Actividad 9

A. Forma frases con un elemento de cada columna.

Clarita	**bebo**	**en Albarracín.**
Los Genios	**estudiamos**	**la guitarra.**
Nosotros	**escribís**	**agua.**
Tú	**toca**	**inglés y francés.**
Yo	**viven**	**en una escuela muy bonita.**
Vosotros	**hablas**	**un correo.**

B. Ahora copia las frases y subraya las terminaciones de los verbos de tres colores: uno por cada modelo de conjugación.

....

....

....

....

....

....

....

....

Algunos verbos irregulares

estar

yo	estoy
tú	estás
él/ella/usted	está
nosotros/nosotras	estamos
vosotros/vosotras	estáis
ellos/ellas/ustedes	están

El verbo **estar** se utiliza para situar algo en un lugar y para expresar estados de ánimo.

Santander **está** en el norte de España.
Kris **está** contenta.

ir

yo	voy
tú	vas
él/ella/usted	va
nosotros/nosotras	vamos
vosotros/vosotras	vais
ellos/ellas/ustedes	van

La semana que viene **voy** a España.
¿No **vais** a clase?

Actividad 10

Completa estas frases con la forma correcta del verbo estar o del verbo ir.

1. Clarita ...está... triste.
2. ¿Dónde (tú) ...estás... de vacaciones?
3. ¿Cómo ...están... (ellos) al colegio?
4. Y vosotros ¿cuándo ...estáis... a Santander?
5. ¿Cómo ...estás... (tú), Juan Carlos?
6. ¿Dónde ...están... las Islas Baleares?
7. Los Genios ...están... a un campamento de multiaventura.
8. Yo ...estoy... a Madrid en agosto.
9. En verano, mis amigos y yo ...estoy... a Cádiz. Las playas son fantásticas.
10. ¿No ...está... (ella) contenta por el premio?
11. El mes que viene ...estoy... (yo) a Venezuela para ver a mis abuelos.
12. Lima ...está... en Perú.

Actividad 11

05

A. Escucha el audio y tacha la opción incorrecta.

Clarita está **triste / contenta** porque en **julio / agosto** su familia **va / está** a Ecuador **a vivir / de vacaciones**.

B. ¿Qué le pasa a Clarita? Vuelve a escribir el texto anterior con las opciones correctas.

....

....

....

....

Actividad 12

Conjuga estos verbos.

yo / tú / él / ella / nosotros/as / vosotros/as / ellos / ellas

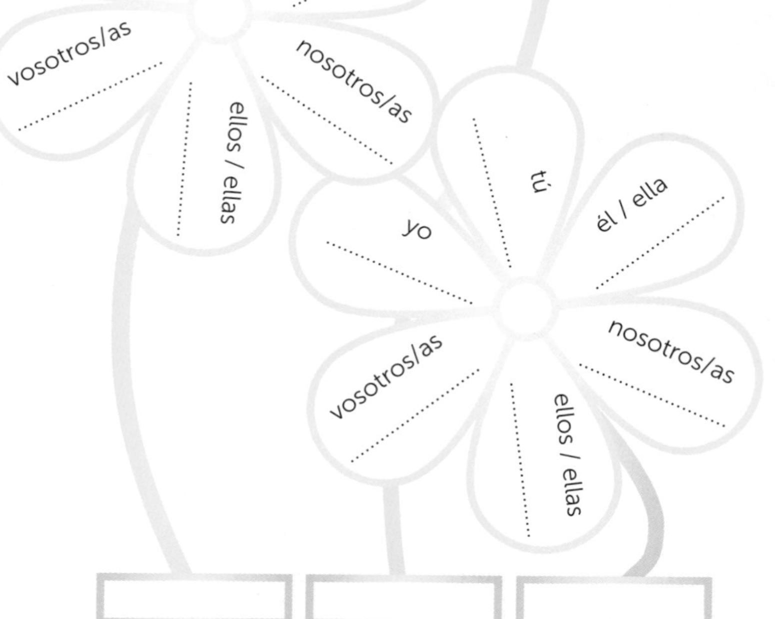

Actividad 13

Elige los cuatro meses del año que son más importantes para ti y explica por qué. Puedes dibujar o pegar fotos o imágenes recortadas de revistas.

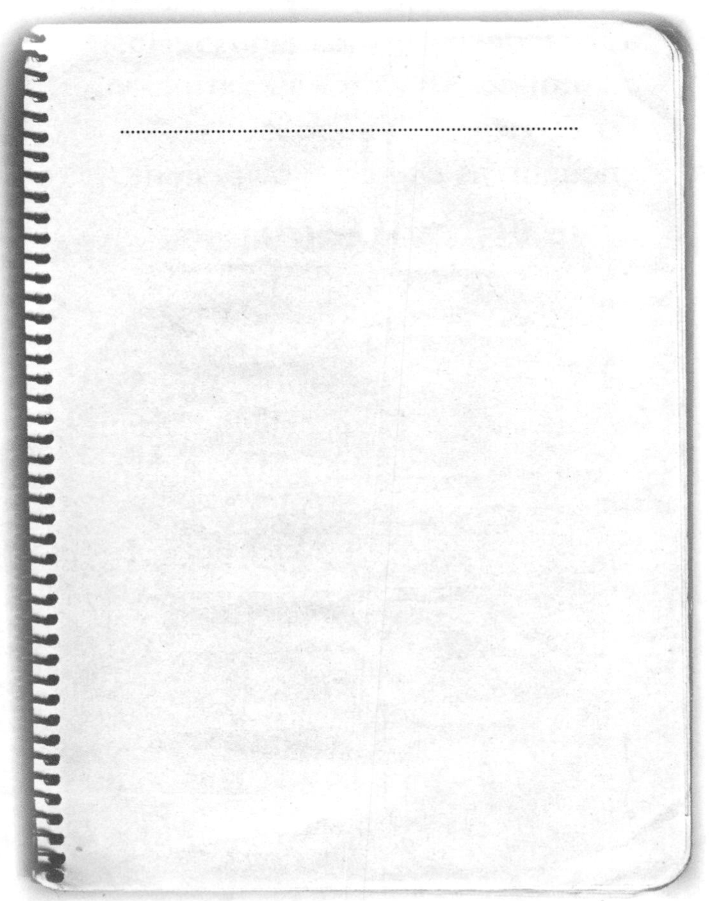

Actividad 14

Antes de leer el texto, contesta a estas preguntas.

1. ¿Qué es un dinosaurio?
   a) Un juego.
   b) Un animal que se ha extinguido.
   c) Un personaje de cómic.
2. ¿Qué puede ser un lugar que se llama "Territorio Dinópolis"?
   a) Un parque cultural, científico y de ocio.
   b) Un lugar donde se hacen películas.
   c) Un territorio indio.
3. ¿Hay algún lugar relacionado con los dinosaurios en tu país?

   ....
4. ¿Has visto alguna vez un esqueleto de dinosaurio? ¿Dónde?

   ....

Territorio Dinópolis está formado por un gran parque, Dinópolis, y seis innovadores museos: Inhóspitak, Legendark, Región Ambarina, Bosque Pétreo, Mar Nummus y Titania. Todas estas instalaciones están en distintas localidades de la provincia de Teruel.

En este parque puedes hacer un recorrido de 4.500 millones de años y descubrir los dinosaurios, su mundo, su vida y su extinción. En Territorio Dinópolis encuentras ciencia y diversión.

¡UNA VISITA MÁGICA!

Visita la web www.dinopolis.com para saber más sobre este parque.

Actividad 15

Mira el mapa de Territorio Dinópolis y une cada uno de los museos con lo que puedes encontrar allí.

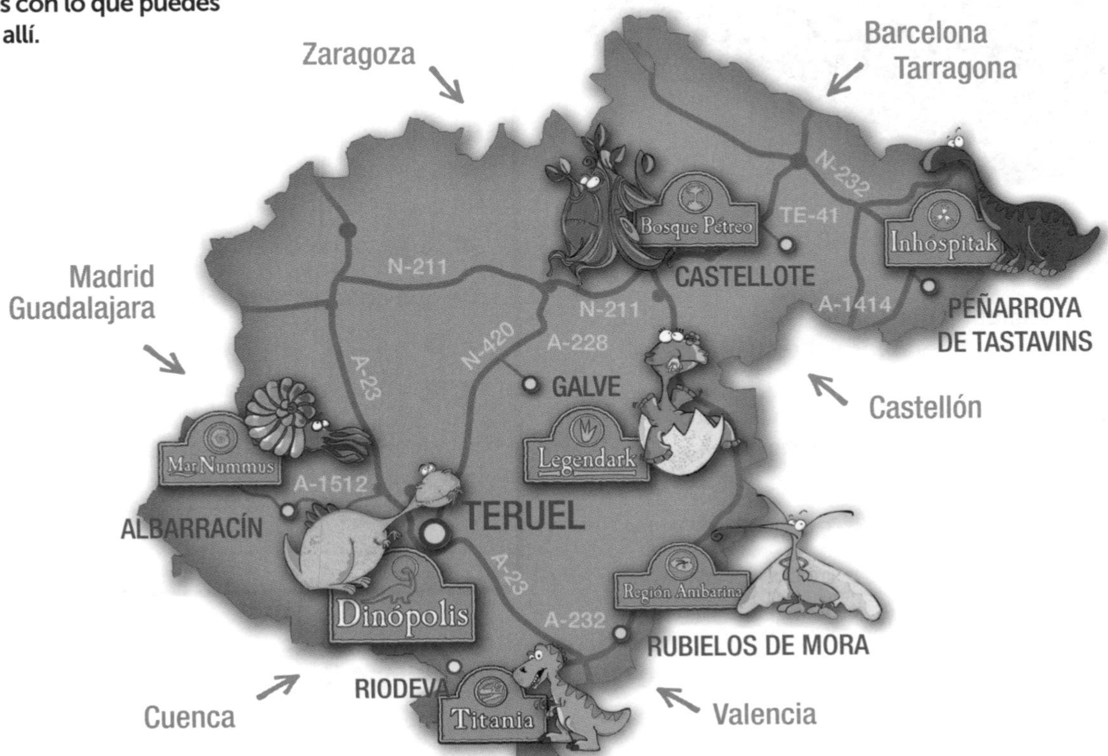

TITANIA	Puedes ver muchos fósiles del fondo del mar, aprender cómo se forma un fósil y ver un gigantesco reptil acuático.
DINÓPOLIS	Se puede ver la réplica de la parte delantera del esqueleto del dinosaurio más grande de Europa.
REGIÓN AMBARINA	Puedes ver una familia de dinosaurios a tamaño real y una reproducción de un nido de huevos con crías de dinosaurio.
BOSQUE PÉTREO	Este museo está ideado a partir de los restos de un lago fosilizado. En él se exponen animales y plantas de hace 20 millones de años.
LEGENDARK	Hay museos, espectáculos, tiendas, restaurantes, un simulador 4D y muchos juegos para conocer el mundo de los dinosaurios.
INHÓSPITAK	Puedes ver un bosque carbonífero, muchos fósiles reales y unos audiovisuales espectaculares.
MAR NUMMUS	Aquí puedes ver la réplica de un dinosaurio de 17 m de longitud que vivió hace más de 100 millones de años.

LÉXICO

extinción: ....

reptil: ....

crías: ....

fósiles: ....

Actividad 16

Ahora contesta a estas preguntas.

¿Te gustaría ir a Territorio Dinópolis? ¿Por qué?

....

....

....

¿Conoces algún otro parque como este? ¿Te gusta? ¿Por qué?

....

....

....

Unidad 3

TERCERA SEMANA: NO ENCUENTRO MI MOCHILA

Actividad 1

Lee los diálogos del cómic. Luego, completa el texto con las palabras del recuadro.

autocar	**mochila**	**campamento**
vacaciones	**detrás**	**coche**

Kris, Víctor, Juan Carlos, Cindy y Clarita van a Potes de .... El viaje es muy largo y lo hacen en ...., en tren y en .... Cuando llegan al .... Cindy no encuentra su .... Está .... del autocar.

Actividad 2

06 **Ahora escucha los diálogos y contesta a las preguntas. Si quieres, puedes leer el cómic mientras escuchas.**

1. ¿A qué hora salen Los Genios de Albarracín?
....
2. ¿De quién es el coche en el que viajan?
....
3. ¿Cuántas horas dura su viaje desde Albarracín hasta Potes? ....
4. ¿Cuántos transportes diferentes utilizan para llegar hasta Potes? ....
5. ¿Qué le pasa a Cindy cuando llega al campamento? ....
....
6. ¿Crees que Cindy y Marina pueden ser amigas? ¿Por qué? ....
....

Antes de leer el cómic

¿Tienes una mochila?

....

¿Cuándo usas tu mochila?

a) Cuando voy de excursión.
b) Cuando voy al colegio.
c) Cuando voy a la playa.
d) Cuando voy a hacer deporte.

¿De qué color es tu mochila?

a) roja **b)** azul **c)** amarilla
d) verde **e)** naranja **f)** negra

Mi mochila es roja y verde.

....

....

Actividad 3

Contesta a estas preguntas con los recursos del apartado Para hablar de.

1. ¿En qué medio de transporte vas a la escuela?
....
....
2. ¿A qué hora te levantas para ir a la escuela?
....
....
3. ¿A qué hora empiezas las clases en tu escuela?
....
....
4. ¿Cuánto tiempo tardas para ir desde tu casa hasta la escuela? ....
....

LÉXICO

mochila: ....
durar: ....
solos: ....
monitores: ....
después: ....

NO ENCUENTRO MI MOCHILA
A LAS 6 DE LA MAÑANA, LOS GENIOS SALEN DE ALBARRACÍN. VAN A MADRID EN EL COCHE DEL PADRE DE JUAN CARLOS. EL VIAJE DURA 4 HORAS.
¿A QUÉ HORA SALE EL TREN?
A LAS ONCE MENOS CUARTO.
¿Y A QUÉ HORA LLEGAMOS A SANTANDER?
A LAS TRES Y CUARTO, Y LUEGO TENEMOS UNA HORA DE AUTOBÚS HASTA POTES.
¡UF! ¡QUÉ LARGO!
NO VAMOS SOLOS. VIENEN OTROS CHICOS QUE TAMBIÉN VAN AL CAMPAMENTO. Y LOS MONITORES.
CUATRO HORAS Y MEDIA DESPUÉS...
¿DÓNDE ESTÁ MI MOCHILA? NO LA ENCUENTRO
¿CÓMO ES?
ES ROJA Y BLANCA. MUY GRANDE.
PERDONA, ¿ES TU MOCHILA?
SÍ.
ES QUE MI MOCHILA ES IGUAL: ROJA Y BLANCA.
¿Y NO LA ENCUENTRAS?
NO...
MIRA... DENTRO ESTÁN MIS COSAS. MI ROPA, MIS ZAPATILLAS... ES MI MOCHILA.
¡OH! ¡LO SIENTO! ¡DISCULPA!
¡ALLÍ! ¡DETRÁS DEL AUTOBÚS!
¡ES LA MOCHILA DE CINDY!
¡SÍ, ES SU MOCHILA!
YO ME LLAMO MARINA, ¿Y TÚ?
YO, CINDY MARÍA.
¿DE DÓNDE VIENES?
DE ALBARRACÍN, ¿Y TÚ?
DE SEVILLA.
¡NOS GUSTAN LAS MISMAS COSAS!

Medios de transporte

- ¿Cómo vas a... ?
- Voy...

...en avión.

...en coche.

...en tren.

...en autobús.

...en barco.

! ...a pie.

Hablar de la hora

¿Qué hora es?

Es la una.

Son las cuatro.

Son las cuatro menos cuarto.

Son las cuatro y media.

Son las cuatro y cuarto.

Son las cuatro y cinco.

Son las cuatro menos diez.

Son las cuatro menos veinte.

Son las cuatro y diez.

- ¿A qué hora sale el tren?
- A las once menos cuarto.

Describir un trayecto

Desde Madrid **hasta** Sevilla.

Situar en el espacio

¿Dónde está el pájaro?

Allí.
Aquí.

Encima del árbol.

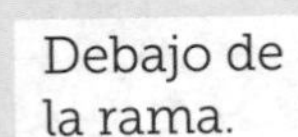

Dentro del árbol.

Debajo de la rama.

Detrás del árbol.

Delante del árbol.

Al lado del árbol.

Pedir disculpas

Lo siento.
Perdona.
Disculpa.

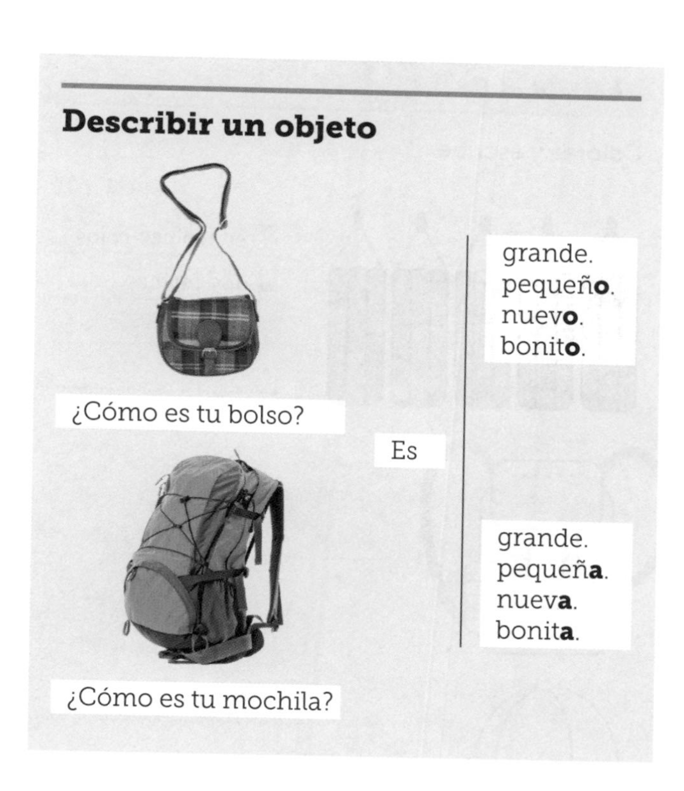

Describir un objeto
¿Cómo es tu bolso?
Es
grande.
pequeño.
nuevo.
bonito.
¿Cómo es tu mochila?
grande.
pequeña.
nueva.
bonita.

Actividad 4

Dibuja:

- una caja debajo de la mesa,
- una pelota dentro de la caja,
- un cuaderno encima de la mesa,
- un lápiz al lado del cuaderno.

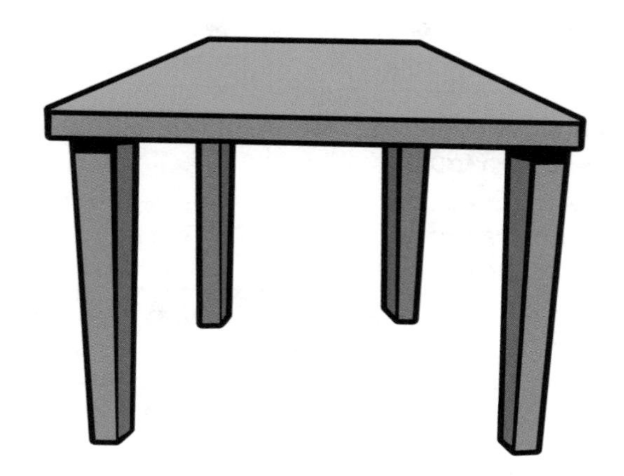

Actividad 5

Escribe la hora de estos relojes.

....

....

....

....

....

....

....

....

....

....

....

....

....

....

....

....

....

....

Actividad 6

Dibuja sobre este mapa el trayecto de Los Genios desde Albarracín hasta Potes. Utiliza el color que corresponda en cada parte del trayecto, según la leyenda.

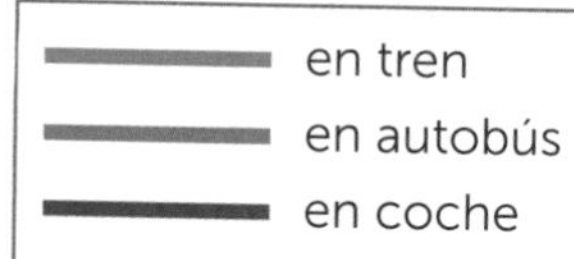

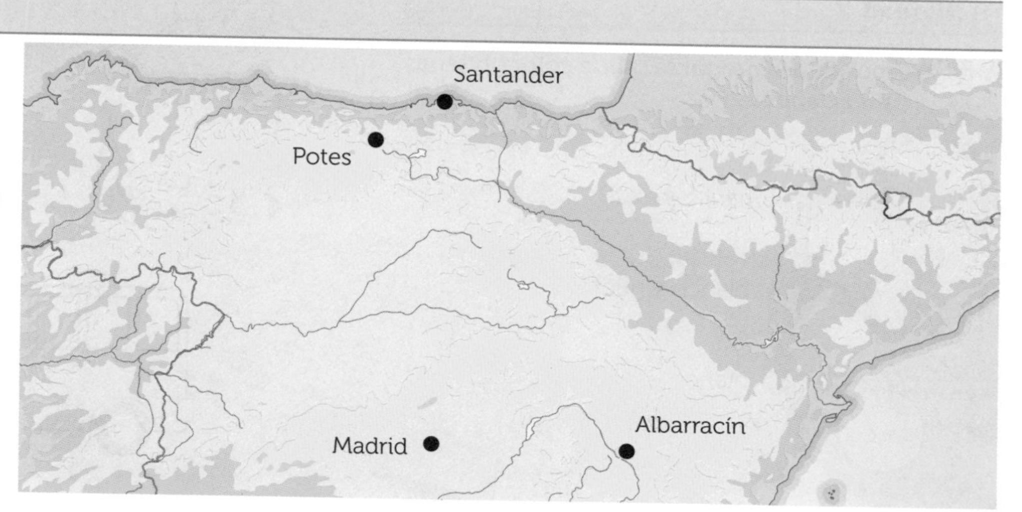

Los colores

Cuatro terminaciones distintas: **o/a/os/as**		
	singular	**plural**
masculino	un bolso rojo	unos bolsos rojos
femenino	una mochila roja	unas mochilas rojas

El blanco ○, el negro ● y el amarillo ○ funcionan igual.

La misma forma para el masculino y el femenino y el plural con **es**		
	singular	**plural**
masculino	un bolso azul	unos bolsos azules
femenino	una mochila azul	unas mochilas azules

El gris y el marrón funcionan igual.

Una sola forma para el masculino y el femenino, y el plural con una **s**		
	singular	**plural**
masculino	un bolso naranja	unos bolsos naranjas
femenino	una mochila naranja	unas mochilas naranjas

El rosa y el verde funcionan igual.

Actividad 7

Pinta y responde a la pregunta. ¿Qué color obtienes mezclando...

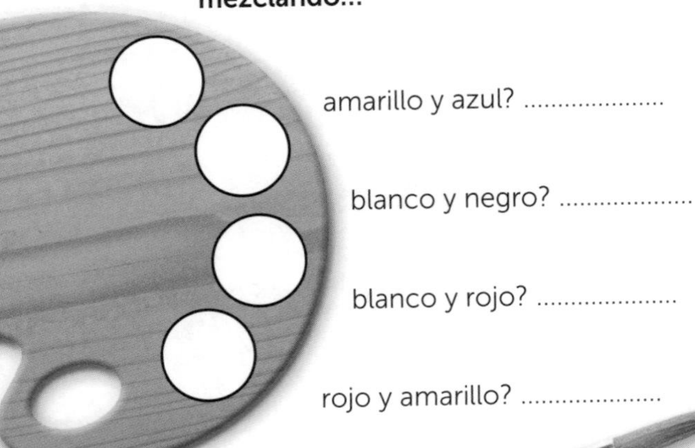

amarillo y azul? ....

blanco y negro? ....

blanco y rojo? ....

rojo y amarillo? ....

Actividad 8

Colorea y escribe.

Tres lápices rojos
y dos lápices...
....
....

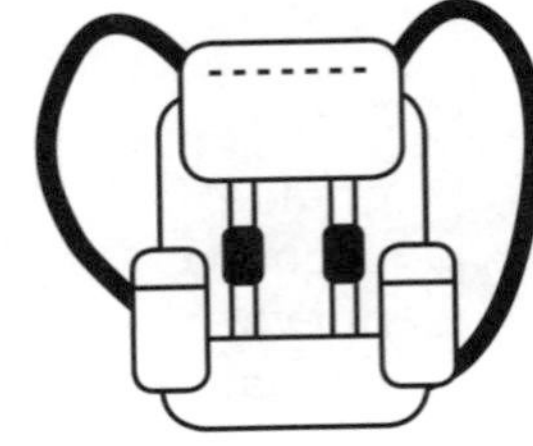

....

....

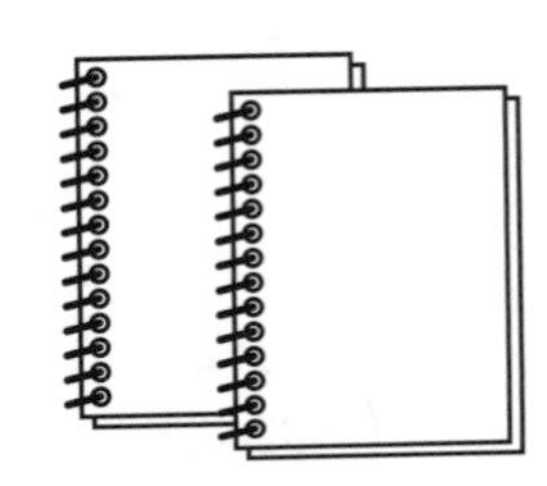

....
....

....
....

....

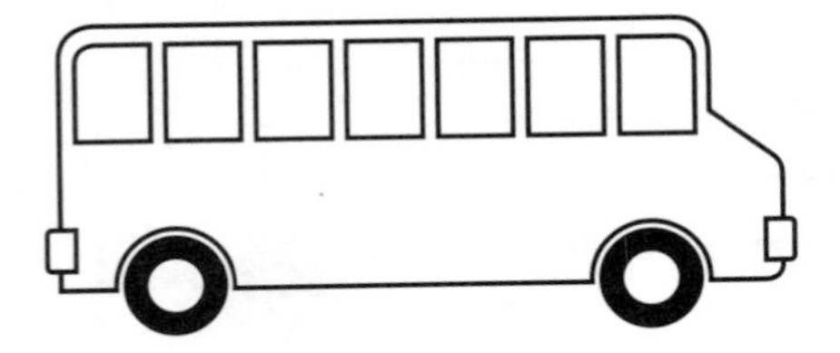

....

Los adjetivos posesivos

masculino	femenino
mi profesor tu profesor su profesor nuestr**o** profesor vuestr**o** profesor su profesor	mi escuela tu escuela su escuela nuestr**a** escuela vuestr**a** escuela su escuela

El verbo *encontrar*

yo	enc**ue**ntro
tú	enc**ue**ntras
él/ella/usted	enc**ue**ntra
nosotros/nosotras	encontramos
vosotros/vosotras	encontráis
ellos/ellas/ustedes	enc**ue**ntran

Este verbo se conjuga como **hablar**, pero tiene una pequeña irregularidad en el presente de indicativo, excepto en la primera y segunda personas del plural.

Como este verbo, también se conjugan los verbos **contar**, **recordar** y **soñar**.

Actividad 9

Completa estas frases con los adjetivos posesivos que faltan.

1. Cuando llega al campamento, Cindy no encuentra ....su.... (de Cindy) mochila.
2. Nadia: ¿Cómo se llama .... (de Lucía) gato?
   Lucía: ¡Micifuz!
   Nadia: ¡Anda! ¡........................ (de Nadia) gato se llama igual!
3. Nos llamamos Kris, Cindy, Clarita, Víctor y Juan Carlos. .... (de nosotros) escuela está en Albarracín. .... (de nosotros) grupo se llama Los Genios y somos muy amigos.
4. ¿Quién es ....Vuestro.... (de vosotros) profesor de matemáticas?
5. ¿Conoces a .... (de José Maria y de Carmela) amigos? ¡Son muy simpáticos!
6. .... (de Víctor) abuelo es ruso.

Actividad 10

Completa este crucigrama con las formas correctas de los verbos encontrar, soñar y contar.

Horizontales

1. (encontrar) tú
2. (contar) ellos
3. (contar) tú

Verticales

1. (contar) ella
2. (contar) vosotros
3. (soñar) yo

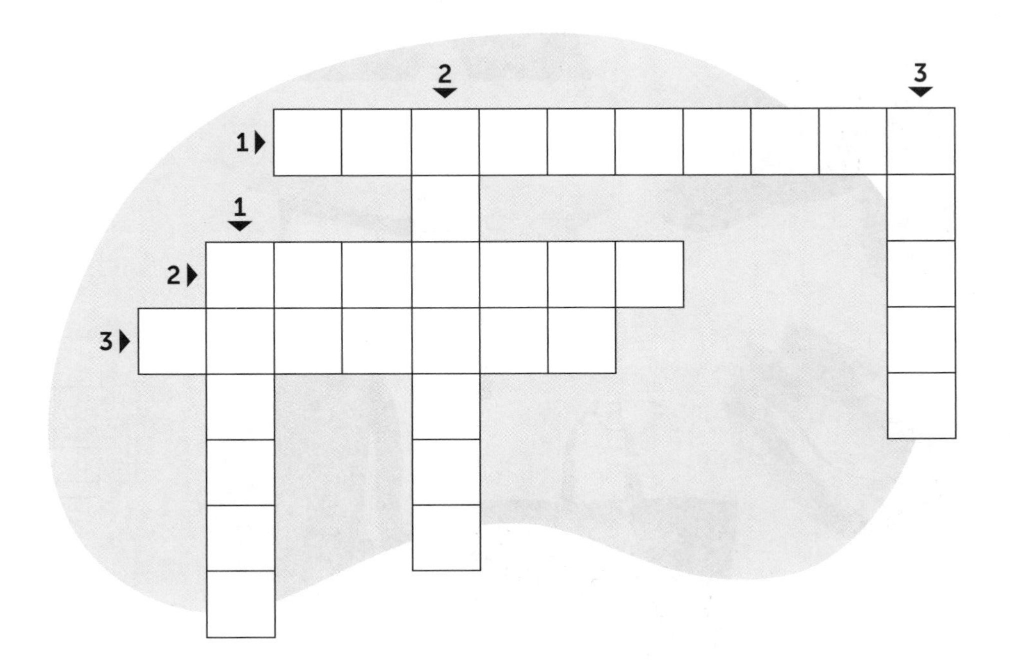

Actividad 11

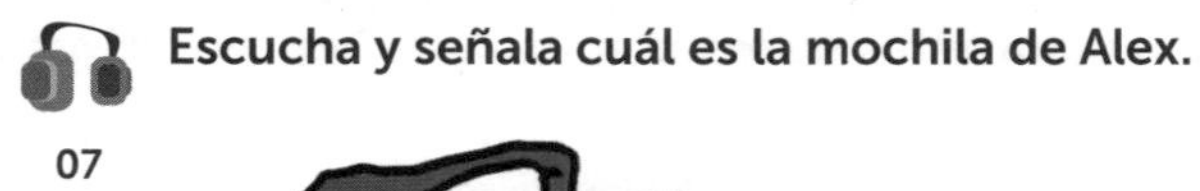

Escucha y señala cuál es la mochila de Alex.

07

Actividad 12

Relaciona las imágenes con las etiquetas que las describen y completa las que faltan.

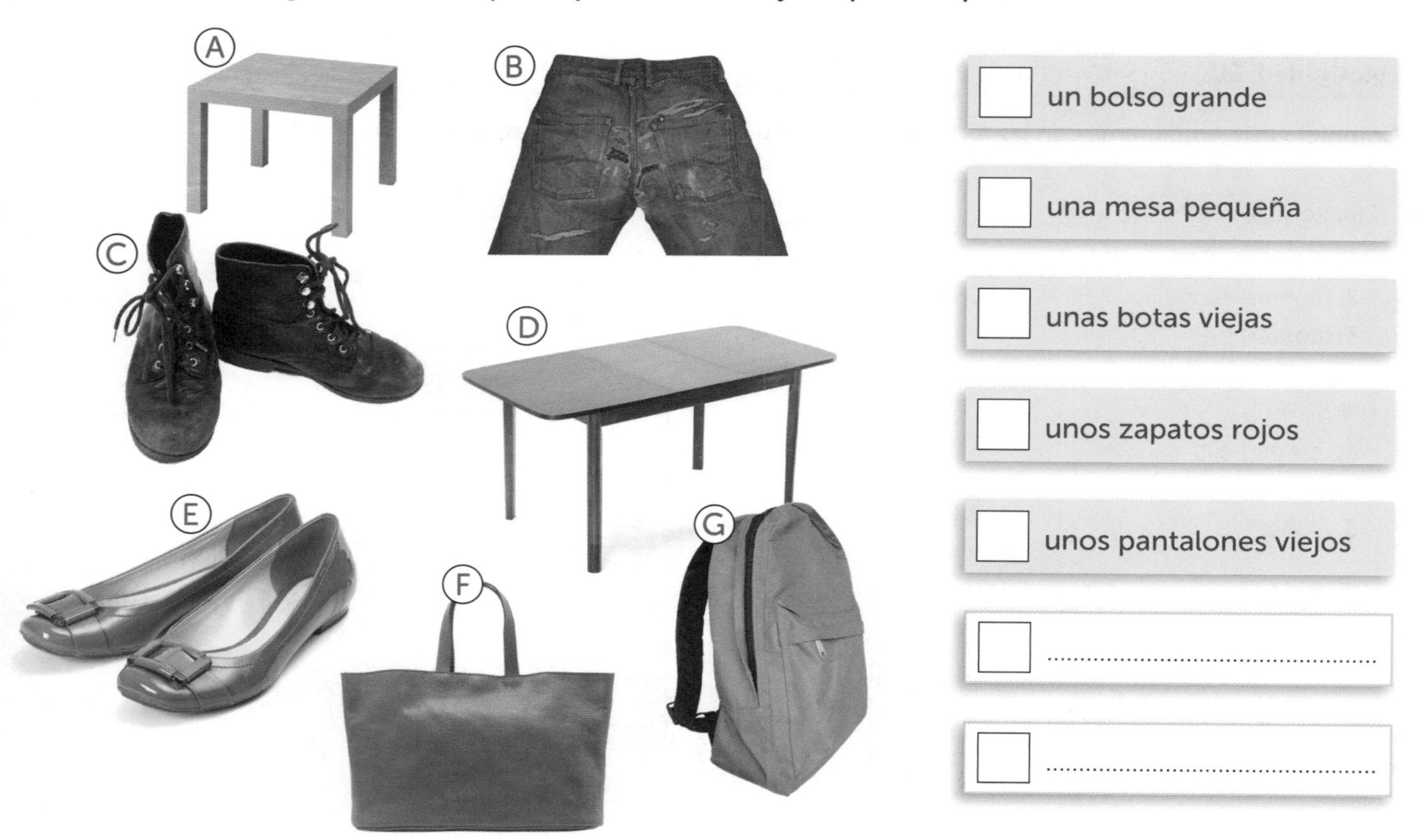

Actividad 13

¿Cuál es tu color o tus colores preferidos? Escribe para qué lo utilizas (ropa, material escolar, tu habitación...), a qué cosas lo asocias... Puedes decorar tu redacción con recortes de revistas, fotos o dibujos.

FOTO O DIBUJO

FOTO O DIBUJO

FOTO O DIBUJO

FOTO O DIBUJO

FOTO O DIBUJO

Actividad 14

Antes de leer el texto, contesta a estas preguntas.

1. ¿Te gustan las esculturas? ....

   ....

2. ¿Dónde puedes ver esculturas? ....

   ....

3. ¿Hay esculturas famosas en tu ciudad?

   ....

   ....

4. Escribe los nombres de las esculturas que te gustan. ....

Actividad 15

Relaciona cada escultura con el texto correspondiente.

ESCULTURAS

A. La escultura *Dona i ocell* (mujer y pájaro, en catalán) representa una forma femenina con sombrero y, sobre él, un pájaro. Es una escultura muy grande y tiene los colores característicos de todas las obras de su autor, el pintor Joan Miró: rojo, azul, amarillo y verde.

B. Fernando Botero es un artista colombiano. Sus obras reproducen personas y animales muy grandes. Están en muchas de las ciudades más importantes del mundo. *El caballo*, una bonita y enorme escultura, se puede contemplar en la Plazoleta de las esculturas de Medellín (Colombia).

C. Este dragón recubierto de mosaicos de muchos colores es una famosísima escultura del arquitecto Antoni Gaudí. Está en un parque de Barcelona, el Parque Güell, que también es obra del mismo autor. Cada día la visitan cientos de turistas.

D. *La Cabra*, de Pablo Picasso, es una escultura que puede admirarse en los jardines del MOMA (Museum of Modern Art) de Nueva York.

LÉXICO

enorme: ....

mosaicos: ....

famosísima: ....

admirarse: ....

Actividad 16

Después de leer el texto, contesta a estas preguntas.

1. ¿Cuáles de estas esculturas están en América?
   ¿En qué país? ....
   ....
2. ¿Cuáles de estas esculturas están en España?
   ¿En qué ciudad? ....
   ....
3. ¿Cuál de las cuatro esculturas te gusta más?
   ¿Por qué? ....
   ....

Actividad 17

Recorta o haz una fotografía de una escultura que te guste, pégala aquí y escribe qué es, quién es el autor y dónde está situada.

....
....
....
....
....
....
....

CUARTA SEMANA: ¿CÓMO ES SUKAINA?

Antes de leer el cómic

¿Cómo es tu mejor amigo?

alto ☐ bajito ☐
moreno ☐ rubio ☐
delgado ☐ gordito ☐

¿Lleva gafas?

sí ☐ no ☐

¿Cómo es tu mejor amiga?

alta ☐ bajita ☐
morena ☐ rubia ☐
delgada ☐ gordita ☐

¿Lleva gafas?

sí ☐ no ☐

Actividad 1

Lee los diálogos del cómic y tacha las opciones incorrectas del texto.

En el campamento de **verano** / **primavera** "El Valle de Liébana", Los Genios participan en un juego para conocer a otros **compañeros** / **monitores**. Conocen a **dos** / **cuatro** nuevos amigos. Se llaman Sukaina y Raúl y **viven** / **son** de Zaragoza.

En el programa de la **semana** / **clase** hay muchos deportes y visitas culturales. También hay excursiones a la **playa** / **ciudad** y a la montaña.

Actividad 2

08

A. Ahora escucha los diálogos y di si las siguientes afirmaciones son verdaderas o falsas. Si quieres, puedes leer el cómic mientras escuchas.

	V	F
1. Los monitores se llaman Laura y Juan.	☐	☐
2. Sukaina es bajita y rubia.	☐	☐
3. Tiene el pelo ondulado.	☐	☐
4. Raúl es moreno, delgado y vive en Zaragoza.	☐	☐
5. Cindy es alta, rubia y lleva gafas.	☐	☐

LÉXICO

carpetas: ....
fichas: ....
senderismo: ....

B. Une las dos columnas, según el programa de actividades del campamento.

lunes •	• Excursión a la playa.
martes •	• Deportes de aventura.
miércoles •	• Visita a Santillana del Mar.
jueves •	• Visita al museo de Altamira.
viernes •	• Parque de Cabárceno.
sábado •	• Senderismo en los Picos de Europa.

C. ¿Qué crees que puede haber en el Parque de Cabárceno?

zonas deportivas ☐ plantas ☐
curiosidades naturales ☐ animales ☐

D. Escucha el audio y verifica tu respuesta.

09

Actividad 3

Mis cosas

Contesta a estas preguntas con los recursos del apartado Para hablar de.

1. ¿Qué día de la semana te gusta más? ¿Por qué?

....

2. ¿Te gustan los deportes de aventura?

....

¿CÓMO ES SUKAINA?

Las estaciones del año

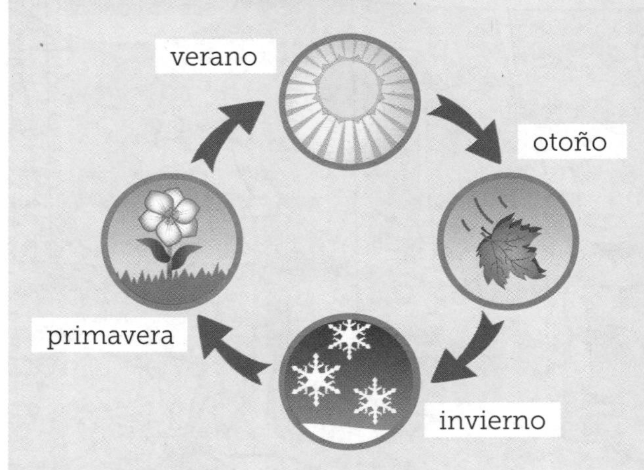

En verano, vamos a la playa.
En invierno, vamos a esquiar.

Los días de la semana

La parte de la semana que comprenden el **sábado** y el **domingo** se llama **fin de semana**.

El lunes hacemos deportes de aventura.
El miércoles visitamos Santillana del Mar.

La utilidad

- ¿**Para qué sirve** este juego?
- **Sirve para** conocer nuevos amigos.

La obligación

Tener + **que** + infinitivo

Tengo que encontrar a Sukaina.

Describir el aspecto físico

Tiene el pelo rubio.
Es rubio.

Tiene el pelo negro.
Es moreno.

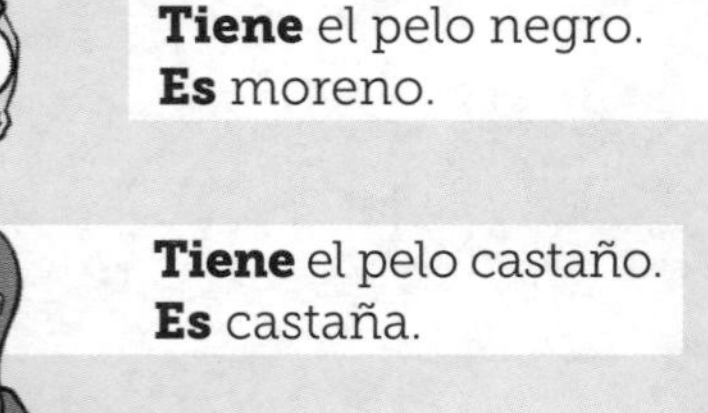

Tiene el pelo castaño.
Es castaña.

Lleva gafas.
Tiene el pelo rojo.
Es pelirrojo.

Tiene el pelo rizado.
Lleva el pelo corto.

Tiene el pelo liso.
Lleva el pelo largo.

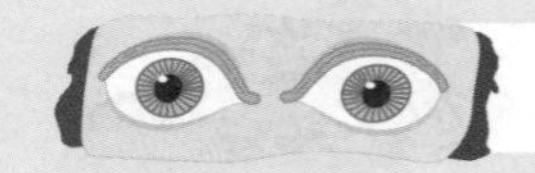

Tiene los ojos azules y grandes.

Tiene los ojos verdes y pequeños.

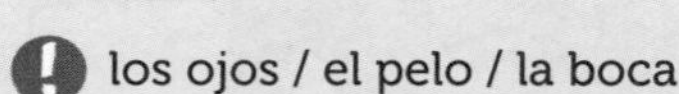

los ojos / el pelo / la boca

~~Mis ojos son negros.~~ Tengo los ojos negros.
~~Tu pelo es bonito.~~ Tienes el pelo bonito.
~~Su boca es pequeña.~~ Tiene la boca pequeña.

Es alto y gordito.

Es bajita y delgada.

Los adjetivos **bajo/a**, **gordo/a** y **feo/a** es conveniente utilizarlos en las formas diminutivas **bajito/a**, **gordito/a**, **feíto/a**.

Actividad 4

Contesta a estas preguntas sobre tus actividades durante la semana.

1. ¿Qué días de la semana vas al colegio?

....

....

2. ¿Qué días de la semana no vas al colegio?

....

3. ¿Qué día o días de la semana haces deporte?

....

4. ¿Qué día o días de la semana sales con tus amigos o amigas? ....

....

Actividad 5

Contesta a estas preguntas sobre las estaciones del año.

1. ¿En qué estación del año es Navidad?

....

2. ¿En qué estación del año no hay muchos días de escuela?

....

3. ¿En qué estación del año es tu cumpleaños?

....

4. ¿Qué estación del año te gusta más? ¿Por qué?

....

....

Actividad 6

Ilustra los siguientes pies de foto con recortes de revistas.

Tiene los ojos azules y lleva el pelo largo.

Es alto y lleva gafas.

Es gordito, rubio y tiene los ojos negros.

Es alta, morena y tiene el pelo rizado.

Actividad 7

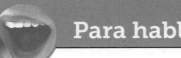

Haz frases como la del ejemplo uniendo las expresiones de las dos columnas.

conducir un coche	tener dieciocho años
hacer una fiesta	invitar a los amigos
hacer un buen examen	estudiar
tener buena salud	dormir mucho
estar en forma	hacer deporte

Para conducir un coche tengo que tener dieciocho años.

....

....

....

....

Actividad 8

Escribe para qué sirve cada objeto.

el plano

la brújula

la calculadora

la linterna

el reloj

- ver el camino por la noche
- saber la hora
- hacer operaciones matemáticas
- saber dónde está el norte
- encontrar una dirección

La linterna sirve para ver el camino por la noche.

....

....

....

....

Los demostrativos

	Singular	Plural
Masculino	**este** chico	**esta** chica
Femenino	**estos** chicos	**estas** chicas

En estas carpetas tenéis el programa...

Actividad 9

Completa los diálogos con los demostrativos que faltan.

1. ● ¿Quién es .... chica?
   ○ Es Laura, la monitora del campamento.
2. ● ¿De qué ciudad es .... mapa?
   ○ De Santillana del Mar.
3. ● ¿Cuándo te vas a la playa?
   ○ .... fin de semana.
4. ● Me gusta .... libro.
   ○ ¿Por qué?
   ● Porque es interesante y divertido.

Hay

Singular	Plural
Hay una linterna.	**Hay** dos linternas.

Y ¿qué hay en este parque?
Pues no lo sé, pero seguro que hay algo interesante.

Actividad 10

A. Mira la imagen y di si las siguientes frases son verdaderas o falsas.

En el campamento...	V	F
1. No hay piscina.	☐	☐
2. Junto al campamento hay un río.	☐	☐
3. No hay comedor.	☐	☐
4. Hay una fuente para beber.	☐	☐
5. No hay pájaros.	☐	☐
6. No hay bancos para sentarse.	☐	☐

B. Reescribe las frases falsas para que sean verdaderas.

....

....

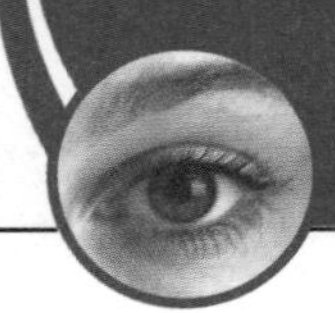

Actividad 11

¿Cómo se dicen estas frases en tu lengua?

En mi escuela hay un gimnasio y no hay biblioteca.

....

En esta ciudad hay muchos coches.

....

Actividad 12

Completa estas frases con la forma correcta de los verbos conocer o saber.

1. ¿(Tú) .... cuál es la capital de Ecuador?
2. Marina .... a Cindy cuando llega al campamento.
3. Kris y Clarita no .... a Sukaina.
4. ¿Dónde está mi linterna? (Yo) No lo ....
5. (Yo) No .... a Raúl. ¿Quién es?

Los verbos *conocer* y *saber*

conocer

yo	conozco
tú	conoces
él/ella/usted	conoce
nosotros/nosotras	conocemos
vosotros/vosotras	conocéis
ellos/ellas/ustedes	conocen

saber

yo	sé
tú	sabes
él/ella/usted	sabe
nosotros/nosotras	sabemos
vosotros/vosotras	sabéis
ellos/ellas/ustedes	saben

- ¿Sabes dónde está Víctor?
- No, no lo sé.

- ¿Conoces a este monitor?
- Sí, pero no sé cómo se llama.

Actividad 13

Escucha el audio y escribe los nombres de estos chicos.

10

Actividad 14

Elige a dos personas y descríbelas físicamente. Pueden ser familiares, amigos o algún personaje famoso que admires. Pega una foto suya junto a su descripción.

FOTO

FOTO

Actividad 15

Antes de leer el texto, contesta a estas preguntas.

1. ¿Qué es un deporte de aventura?

   ....

2. ¿Qué deportes de aventura se practican en tu país? ....

   ....

3. ¿Practicas algún deporte de aventura? ....

   ....

TURISMO DE AVENTURA

Tirolina en Guanacaste (Costa Rica)

Hay una manera muy fácil de conocer la selva desde lo alto. ¿Sabes cómo? En las copas de los árboles se han construido plataformas de madera, unidas por cables de acero. Los deportistas pueden recorrer grandes distancias, sobrevolando la selva, colgados de un arnés. Es una experiencia única y además es un deporte muy ecológico, ya que respeta el medio ambiente.

Senderismo hasta el volcán Villarica. Pucón (Chile)

El volcán Villarica tiene 2800 metros y es uno de los más activos de Sudamérica. Su cráter es una verdadera atracción turística. La caminata dura unas 4 o 5 horas, a través de senderos helados, y se tiene que hacer en compañía de un guía profesional.

Descenso por aguas rápidas en Huatulco. Oaxaca (México)

Bajar por las aguas del río Copalita durante 4 horas es una experiencia de lo más emocionante. Su continua pendiente te lleva de un rápido a otro hasta dejarte sin aliento. Una aventura llena de espuma y de adrenalina.

Kitesurf en Tarifa. Cádiz (España)

El oleaje de las inmensas playas de Tarifa ofrece unas condiciones óptimas para los deportes náuticos, especialmente para el *kitesurf*. A lo largo de la costa de Tarifa hay muchas escuelas que ofrecen cursos de *kitesurf* de una o varias semanas. Según dicen, es muy fácil de aprender. ¿Te animas?

Actividad 16

Después de leer el texto, relaciona el nombre del deporte con el lugar en que se practica.

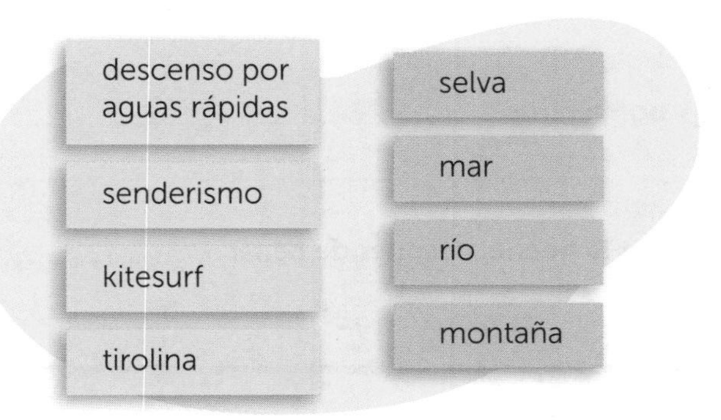

LÉXICO

copas de los árboles: ....
sobrevolando: ....
colgados: ....
arnés: ....
caminata: ....
senderos: ....
dejar sin aliento: ....
espuma: ....
oleaje: ....

Actividad 17

Contesta a las siguientes preguntas.

1. ¿Qué deporte necesita un cable?

   ....

2. ¿Qué deporte necesita un guía?

   ....

3. ¿Cuál se practica sobre la nieve y el hielo?

   ....

4. ¿Cuál se puede aprender en una semana de clases?

   ....

Actividad 18

Mis cosas **Contesta con tu información personal.**

¿Cuál de estas cuatro posibilidades de deporte de aventura te gustaría practicar?

....

....

....

¿Por qué?

....

....

....

Actividad 19

¿Conoces otros deportes de aventura? ¿Cuáles? Redacta una pequeña explicación y pega alguna fotografía para ilustrarla.

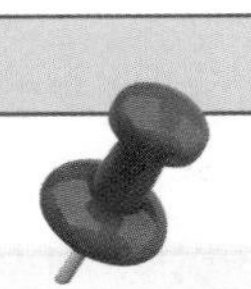

QUINTA SEMANA: ¿QUÉ VAMOS A HACER HOY?

Antes de leer el cómic

¿Qué haces normalmente por la mañana?

....

¿Y por la tarde? ....

....

¿Y por la noche, después de cenar? ....

....

Actividad 1

Lee los diálogos del cómic y completa el texto con las palabras del recuadro.

a caballo	**Después**	**teleférico**
actividades	**horas**	**se levantan**
alto	**por la mañana**	**noche**
ir	**por la tarde**	**excursión**
	coche	

Los Genios tienen un horario muy lleno de .... El lunes, ... a las 7.30 h, desayunan y se preparan para .... a practicar el piragüismo en el río Deva. .... de comer, aprenden a practicar el tiro al arco y finalmente dan un paseo por el valle, ... El martes, todos hacen una .... a los Picos de Europa: ...., suben a un .... muy ...., y.., hacen tres .... de senderismo. Clarita, Cindy y Raúl vuelven antes al campamento en el .... de Laura porque tienen que preparar la actividad de la ....

LÉXICO

piragüismo: ....

tiro al arco: ....

teleférico: ....

senderismo: ....

montar a caballo: ....

Actividad 2

Escucha los diálogos y marca si las siguientes frases son verdaderas o falsas. Si es falsa, escribe la frase correcta. 11

	V	F
1. El lunes, Los Genios practican deportes aventura.	☐	☐
2. Por la mañana, practican el tiro al arco y montan a caballo.	☐	☐
3. Por la tarde, navegan en canoa por el río.	☐	☐
4. Por la noche, Los Genios hacen una representación teatral.	☐	☐
5. El martes, van de excursión a los Picos de Europa.	☐	☐
6. Clarita y Raúl vuelven a pie al campamento.	☐	☐

¿QUÉ VAMOS A HACER HOY?

Los números a partir del 100

100	cien
200	doscientos
300	trescientos
400	cuatrocientos
500	**quinientos**
600	seiscientos
700	setecientos
800	ochocientos
900	**novecientos**
1000	mil
2000	dos mil

El teleférico sube ¡hasta mil ochocientos cincuenta metros!

Antes de / Después de

Antes de sitúa la acción en un primer momento.

Antes de salir de excursión, Los Genios desayunan.

Después de sitúa la acción en un segundo momento.

Después de la cena, hay una actividad de teatro.

Antes de y **después de** pueden ir seguidos de

- una hora determinada:

Vamos a salir **antes / después de las 8.30 h**.

- un sustantivo:

Vamos a salir **antes / después del desayuno**.

- un verbo en infinitivo:

Vamos a salir **antes / después de desayunar**.

Las partes del día y las comidas

Por la mañana — el desayuno

El desayuno suele ser entre las 7.30 h y las 9.00 h.

A / al mediodía — la comida

En España, la palabra **mediodía** engloba la hora de la comida, desde las 13.00 h hasta las 15.00 h, aproximadamente.

Por la tarde — la merienda

Por la noche — la cena

La cena se toma a partir de las 21.00 h.

Deportes y otras actividades

- **¿Qué haces** los días de fiesta?
- **Hago** gimnasia, senderismo, natación, atletismo, patinaje...
- **Hago** teatro, ballet...
- **Juego** al baloncesto, al tenis, al fútbol, al balonmano...

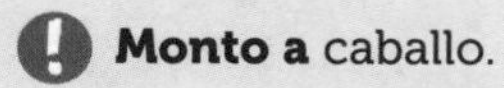

Monto a caballo.

El superlativo

Lucía es la chica **más** inteligente **de** la clase.
Lucía es inteligent**ísima**.
Lucía es **muy** inteligente.

! ~~el más bueno~~ → el mejor
~~la más buena~~ → la mejor
~~los más buenos~~ → los mejores
~~las más buenas~~ → las mejores

Los Genios son los **mejores de** su clase.

Muy

Esta chica es **muy** alta.
Estos árboles son **muy** altos.

! Juan siempre llega **muy** tarde.

Mucho

- ¿Te gusta el español?
- Sí, me gusta **mucho**.

A Messi le gusta **mucho** jugar al fútbol.

! **Muy** siempre acompaña a los adjetivos y a los adverbios.
Mucho siempre acompaña a los verbos.

Estoy **muy** cansado.
Juego **mucho** al baloncesto.

Actividad 3

Encuentra el adjetivo correspondiente y escríbelo en la forma del superlativo que consideres adecuada.

artística	tímido	inteligente
decidida	deportista	guapo

1. Kris es la .... de todo el grupo.
2. Juan Carlos es ....
3. Cindy es .... de toda la clase.
4. Raúl es .... del campamento. Es ....
5. Los Genios son ....

Actividad 4

Completa las frases con muy o mucho.

1. Este chico es .... inteligente. Lee .... y le gustan .... las matemáticas.
2. ¿Juegas .... al fútbol? Sí, todos los días.
3. Sukaina es .... simpática y .... alegre.
4. Los Genios son .... amigos y están .... unidos.
5. Marina trabaja .... por eso siempre tiene .... buenas notas.

Actividad 5

Completa el cartel usando antes de y después de.

NORMAS DE HIGIENE

Tienes que:

1. lavarte las manos .... cada comida.
2. lavarte los dientes .... cada comida.
3. ducharte cada día .... levantarte o bien .... acostarte.
4. ducharte y cambiarte de ropa .... hacer deporte.

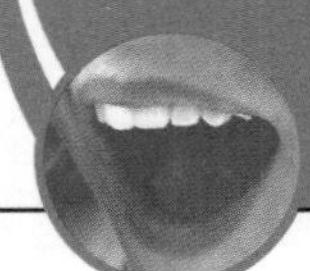

Actividad 6

Relaciona las imágenes con los textos y completa las frases escribiendo la cifra correspondiente.

El Aconcagua (Argentina) tiene .... de altura.

La Pirámide del Sol de Tehotihuacán (México) tiene 248 escalones.

La capital de Bolivia, La Paz, está situada a .... de altura. Es la capital más alta de América.

El Salto del Ángel, en Venezuela, es la cascada más alta del mundo. Tiene ....

- tres mil seiscientos metros
- novecientos sesenta y nueve metros
- doscientos cuarenta y ocho escalones
- seis mil novecientos sesenta metros

Actividad 7

A. ¿Cuándo haces estas actividades?

	por la mañana	al mediodía	por la tarde	por la noche	¿a qué hora?
desayunar	X				A las 7.00 h.
hacer los deberes					
dormir					
hacer deporte					
ir a la escuela					
comer					
cenar					
tomar la merienda					
ver la televisión					

B. Escribe tres frases a partir de las informaciones del ejercicio anterior.

Por la mañana...

Los verbos reflexivos

levantarse

yo	**me** levant**o**
tú	**te** levant**as**
él/ella/usted	**se** levant**a**
nosotros/nosotras	**nos** levant**amos**
vosotros/vosotras	**os** levant**áis**
ellos/ellas/ustedes	**se** levant**an**

Este verbo es regular, como **hablar**. Igual que este verbo, se conjugan: **ducharse**, **arreglarse**, **maquillarse**, **lavarse**, **desnudarse**, **peinarse**...

acostarse

yo	**me** ac**ue**st**o**
tú	**te** ac**ue**st**as**
él/ella/usted	**se** ac**ue**st**a**
nosotros/nosotras	**nos** acost**amos**
vosotros/vosotras	**os** acost**áis**
ellos/ellas/ustedes	**se** ac**ue**st**an**

Este verbo se conjuga como **encontrar**.

Actividad 8

Une un elemento de cada columna para formar frases completas. Luego, cópialas.

Yo me lavo...

....

....

....

....

....

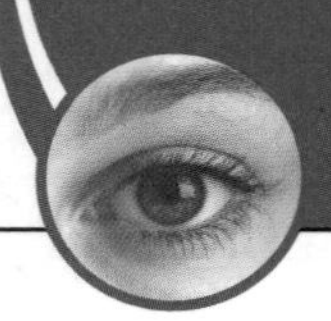

Fíjate bien

El verbo *hacer*

yo	hago
tú	haces
él/ella/usted	hace
nosotros/nosotras	hacemos
vosotros/vosotras	hacéis
ellos/ellas/ustedes	hacen

Este verbo es irregular.

Ir + *a* + infinitivo

Esta perífrasis sirve para expresar acciones de futuro.

Se usa conjugando el verbo **ir** en presente de indicativo, seguido de la preposición **a** y el verbo en infinitivo.

- ¿Qué **vamos a hacer** hoy?
- **Vais a ir** en canoa por el río Deva.

Actividad 9

Construye seis frases con el verbo hacer, en sus distintas personas.

Cristina hace los deberes todos los días.

1. .... hacéis ....
2. .... hago ....
3. .... hacen ....
4. .... haces ....
5. .... hacemos ....
6. .... hace ....

Actividad 10

Escucha el audio y contesta a las preguntas.

12

1. ¿De qué es la actividad que preparan Cindy, Clarita y Raúl?

De teatro ☐ De juegos ☐ De cine ☐
De música ☐ De deportes ☐ De cocina ☐

2. Relaciona los países con los géneros musicales.

flamenco	México
rap	Colombia
ranchera	España
cumbia	Estados Unidos

3. ¿Qué música de las anteriores es la que toca Raúl con su guitarra? ....

Actividad 11

Kris escribe un correo a sus padres contándoles todas las cosas que van a hacer en el campamento. Completa sus frases usando la perífrasis ir + a + infinitivo de los verbos entre paréntesis.

De: kris
Para: papas
Asunto: campamento

¡Hola!

¿Qué tal estáis? Yo, muy bien.

Estoy muy contenta porque en este campamento (nosotros) (practicar) .... el tiro al arco, (nosotros) (navegar) .... en canoa, (nosotros) (montar) .... a caballo, (nosotros) (ir) .... de excursión y (nosotros) (hacer) .... visitas culturales. ¡Además, ya tengo nuevos amigos!

¿Y vosotros? (vosotros) (ir) ¿.................... Cádiz, a la playa? (yo) (seguir) .... contando por correo electrónico todo lo que hacemos.

Ahora (nosotros) (comer) .... ¡Me muero de hambre! :)

Un gran abrazo,

Kris

Actividad 12

Imagina tu día ideal y descríbelo usando las partes del día. Puedes pegar fotografías o hacer dibujos para ilustrarlo.

Por la mañana me levanto...

Al...

Actividad 13

Antes de leer el texto, contesta a estas preguntas.

1. ¿Qué sabes de Leo Messi y de Shakira? ¿Qué hacen? ¿De dónde son? ¿Dónde viven?

   ....

   ....

2. Elige uno de estos dos personajes. Imagina lo que hace en un día desde que se levanta hasta que se acuesta. Escríbelo en un papel. Luego, lee el texto.

LÉXICO

partidos: ....
entrenar: ....
entrenamientos: ....
una siesta: ....
muy pronto: ....
estar en forma: ....
fundación: ....
descalzos: ....
estudio de grabación: ....
ensayar: ....
grabar: ....

Un día en la vida de...

LEO MESSI

Profesión: jugador de fútbol
Nacionalidad: argentina

Los días que no hay **partidos**, Messi se levanta a las 8 de la mañana, desayuna y se va en coche al club de fútbol para **entrenar**. Los **entrenamientos** empiezan a las 10 y terminan a la 1 y media. Luego se va a su casa a comer. Messi vive con su novia y su hijo, Thiago.

Después de la comida, a las 3 de la tarde, duerme **una siesta** de dos horas. Se levanta hacia las 5 y va al gimnasio para hacer ejercicio y nadar hasta las 7 y media. Cena a las 8, ve un poco la televisión y se acuesta **muy pronto**, a las 9 y media.

A Messi le gusta ir a la playa en vacaciones y ver películas argentinas. No le gusta leer. Lo que más le gusta es jugar al fútbol.

ISABEL MEBARACK (SHAKIRA)

Profesión: cantante
Nacionalidad: colombiana

Shakira vive con su novio, el futbolista Gerard Piqué. Se levanta tarde, hacia las 11 de la mañana. Mientras se prepara el desayuno, pone música y baila. Después de desayunar, hace ejercicio durante una hora para **estar en forma** y poder hacer muchos conciertos. Antes de comer, lee los correos y se ocupa de su **Fundación** "Pies **descalzos**", una organización educativa para los niños pobres de Colombia.

Después de la comida, duerme una pequeña siesta de media hora y luego va al **estudio de grabación** a **ensayar** o a **grabar** nuevas canciones. Por la noche, cena con su compañero, en casa o en un restaurante.

A Shakira le gusta mucho leer y acostarse tarde.

Actividad 14

Después de leer el texto, responde a las preguntas.

¿En qué se parece el horario de los dos personajes?

....

....

....

¿En qué es diferente?

....

....

....

¿Tu vida cotidiana tiene algo en común con estos personajes?

....

....

....

¿Cuál de los dos personajes te gusta más?

....

....

....

Actividad 15

Busca informaciones sobre un día en la vida de un personaje que te guste mucho (deportista, cantante, actor, actriz, etc.) y redacta un texto parecido a los anteriores con el título *Un día en la vida de...* Pega alguna fotografía del personaje para ilustrar el texto.

SEXTA SEMANA: ¿LA CALLE DE LAS ARENAS, POR FAVOR?

Antes de leer el cómic

¿Hay pinturas prehistóricas en tu país? ¿Dónde? ....

¿Las has visitado? ¿Te gustan? ....

¿Qué ciudad histórica de tu país te gusta más? ¿Por qué? ....

Actividad 1

Lee los diálogos del cómic y completa el texto con las palabras del recuadro.

perrita	premio	dinero
encuentran	Museo	vive
visitan	se llama	van a hacer

En el .... de Altamira, Los Genios y sus amigos .... las pinturas prehistóricas. Cuando salen, ... una perrita. En el collar lleva la información: .... Tana y su dueña .... en Santillana del Mar.

Cuando devuelven la ...., reciben un .... de 50 €. ¿Qué .... con este ....?

En el Museo de Altamira se puede visitar una reproducción exacta de las pinturas prehistóricas que hay en una cueva de esta misma localidad. Las pinturas representan una gran cantidad de animales, entre ellos, bisontes y caballos. Estas pinturas son Patrimonio de la Humanidad.

LÉXICO

reproducción: ....
exacta: ....
pinturas prehistóricas: ....
cueva: ....
localidad: ....
bisonte: ....
dueña: ....

Actividad 2

Ahora escucha los diálogos y di si las siguientes afirmaciones son verdaderas o falsas. Si quieres, puedes leer el cómic mientras escuchas. (13)

	V	F
1. El jueves visitan el Museo de Altamira.	☐	☐
2. Las pinturas prehistóricas tienen más de 10.000 años.	☐	☐
3. A Kris y a Víctor les gusta dibujar.	☐	☐
4. En el museo encuentran una perrita.	☐	☐
5. La perrita se llama Tana.	☐	☐
6. Su dueña vive en Altamira, en la calle de las Arenas.	☐	☐
7. La perrita pasa la noche en el campamento.	☐	☐
8. La calle de las Arenas está cerca de la Plaza Mayor.	☐	☐

Actividad 3

Mis cosas **Contesta a estas preguntas con los recursos del apartado Para hablar de.**

¿Dónde vives? (calle, número, ciudad)

....

¿Tienes alguna mascota? ¿Qué animal es? ¿Cómo se llama? ....

¿LA CALLE DE LAS ARENAS, POR FAVOR?
¿Y QUÉ VAMOS A VER EN ESTE MUSEO?
UNAS PINTURAS PREHISTÓRICAS MUY FAMOSAS.
BISONTES, CABALLOS... ¡CUÁNTOS ANIMALES!
SÍ, HAY MÁS DE 100.
ME GUSTA MUCHO DIBUJAR.
A MÍ TAMBIÉN.
YO PREFIERO LA FOTOGRAFÍA ¿QUÉ HAY ALLÍ? ¡UN PERRITO!
ES UNA PERRITA. SE LLAMA TANA. SU DUEÑA VIVE EN LA CALLE DE LAS ARENAS N.° 17 EN SANTILLANA DEL MAR.
¡Y MAÑANA VAMOS A VISITAR SANTILLANA!
¿SE PUEDE QUEDAR CON NOSOTROS?
EUHHHHH, SÍ; PERO SOLO HASTA MAÑANA.
JUEVES, EN SANTILLANA DEL MAR.
¡QUÉ LUGAR MÁS BONITO!
PERDONE, ¿DÓNDE ESTÁ LA CALLE DE LAS ARENAS?
MUY CERCA DE LA PLAZA MAYOR. POR ALLÍ, A LA DERECHA.
GRACIAS.
¡OH! ¡MI PERRITA! ¡QUÉ CONTENTA ESTOY!
ESTO ES PARA VOSOTROS.
¡MUCHAS GRACIAS!
¿QUÉ PODEMOS HACER CON ESTE DINERO?
¡PODEMOS HACER UNA FIESTA!
PODEMOS IR A COMER A UNA PIZZERÍA.
¿VOTAMOS?

Reaccionar ante los gustos

● ¿**Te gusta** dibujar?
○ Sí, **mucho**.
● A mí **no me gusta nada**, prefiero la fotografía.

● **Me gusta** mucho Santillana del Mar.
○ A mí **también**.

● **No me gusta** la pizza.
○ A mí **tampoco**.

● **No me gustan nada** los deportes de aventura.
○ A mí **tampoco** me gustan **nada**.

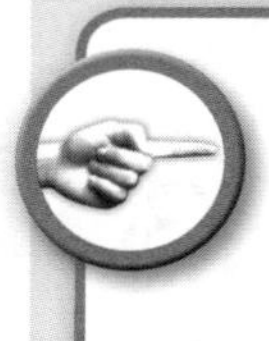

Santillana del Mar es un pequeño pueblo del norte de España. Está situado a 30 km de Santander y fue elegido, por votación, el pueblo más bonito de España. Sus casas son muy antiguas y todo el pueblo es un museo vivo.

La dirección

Perdone, ¿**dónde está** la calle de las Arenas?
¿La calle de las Arenas, **por favor**?

Está (muy) cerca.
Está (muy) lejos.
Por allí.
Recto. ↑
A la derecha. ↱
A la izquierda. ↰

Mascotas

un perro

un gato

un periquito

una tortuga

un conejo

un loro

! un pez

dos pec**es**

! un hámster

dos hámster**es**

Pedir y dar permiso

● ¿Podemos jugar con Tana en el campamento?
○ Sí.
○ Vale.
○ Está bien.
○ Claro que sí.

Prohibir

● ¿Podemos entrar con Tana en el museo?
○ No, no se puede entrar con animales.

Actividad 4

Candela y Paco tienen gustos bastante iguales. Escribe lo que les gusta y lo que no les gusta a cada uno.

♥ = me gusta(n)
♥♥ = me gusta(n) mucho
♥̸ = no me gusta(n)
♥̸♥̸ = no me gusta(n) nada

Candela

♥ = los deportes de aventura
♥♥ = patinar, la playa
♥̸ = las películas románticas
♥̸♥̸ = los exámenes

Paco

♥ = los deportes de aventura
♥♥ = la playa
♥̸ = patinar, las películas románticas
♥̸♥̸ = los exámenes

A Candela le gustan los deportes de aventura. También le gusta mucho
.... y
....
No le gustan ....
y no le gustan nada ....

A Paco ....
....
....
....
....
....

Actividad 5

A. **¿Qué crees que van a hacer Los Genios con los 50 € del premio?**

....
....
....

 14

B. Escucha la conversación y completa la tabla para verificar tu respuesta.

	Hacer una fiesta	Ir a una pizzería
Votos		

Actividad 6

Une cada señal con una prohibición.

No se puede patinar.

No se puede hacer fotografías.

No se puede encender fuego.

No se puede entrar con animales.

No se puede tener el teléfono móvil encendido.

Actividad 7

A. Escribe el nombre de tres animales que te gusten, por orden de preferencias. Luego, escribe al lado de cada animal tres adjetivos que los definan. Busca en el diccionario si lo consideras necesario. Finalmente mira los resultados.

	animal	adjetivo	adjetivo	adjetivo
1				
2				
3				

RESULTADOS

El animal 1 explica cómo te gustaría ser.
El animal 2, cómo te ven los demás.
El animal 3, cómo te gustaría ser.

B. ¿Estás de acuerdo con tus resultados?

Actividad 8

Dibuja los itinerarios a y b sobre el plano, con dos colores distintos, y escribe los números que faltan en el plano.

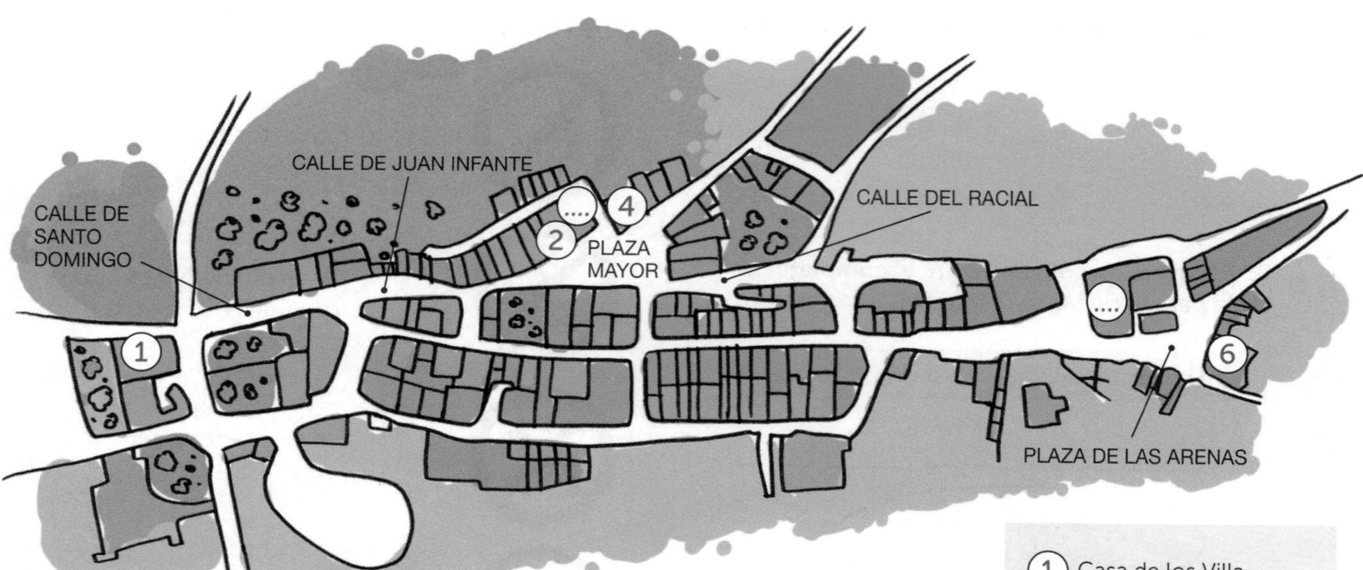

1. Casa de los Villa
2. Casa del Águila
3. Oficina de turismo
4. Ayuntamiento
5. Colegiata románica
6. Palacio de los Velarde

a. Para ir a la oficina de turismo desde la Casa de los Villa tienes que ir recto por la calle de Santo Domingo y la calle Juan Infante. Al final de la calle Juan Infante está la plaza Mayor y allí está la Oficina de turismo, al lado de la Casa del Águila.

b. Para ir a la Colegiata románica desde la plaza Mayor, tienes que ir recto por la calle Racial, luego, a la derecha y recto otra vez, hasta llegar a la plaza de las Arenas. La Colegiata románica está a la izquierda, justo en frente del palacio de los Velarde.

Los diminutivos

perro → perr**ito**

perra → perr**ita**

gato → gat**ito**

gata → gat**ita**

Actividad 9

¿De qué palabras proceden estos diminutivos?

1. mesita ....
2. librito ....
3. pelotita ....
4. arbolito ....
5. casita ....
6. caballito ....
7. pequeñito ....
8. mochilita ....
9. comidita ....
10. manita ....
11. amiguito ....
12. gafitas ....

Actividad 10

Escribe los diminutivos de este texto.

Blancanieves llega a la (casa) .... y ve que todo es (pequeño) ....: hay una (mesa) .... y siete (sillas) .... Sobre la (mesa) .... hay siete (platos) .... y siete (vasos) .... con siete (cucharas) .... En la habitación, hay siete (camas) .... todas (iguales) .... ¿Quién vive en esta (casa) ....?

Actividad 11

¿Cómo se forma el diminutivo en tu lengua? ¿Y en otras lenguas que conoces?

	En español	En tu lengua	En ....
¿Cómo se forma?	Se añade -ito / -ita		
Ejemplos	pajarito, niñita...		

Fíjate bien

Los verbos *poder, volver* y *preferir*

poder

yo	puedo
tú	puedes
él/ella/usted	puede
nosotros/nosotras	podemos
vosotros/vosotras	podéis
ellos/ellas/ustedes	pueden

El verbo **poder** sirve para expresar la prohibición, la permisión y la posibilidad.

● ¿Qué **podemos** hacer con este dinero?
○ ¡**Podemos** hacer una fiesta!

volver

yo	vuelvo
tú	vuelves
él/ella/usted	vuelve
nosotros/nosotras	volvemos
vosotros/vosotras	volvéis
ellos/ellas/ustedes	vuelven

Los verbos **poder** y **volver** son irregulares.
El verbo **devolver** se conjuga como **volver**.

preferir

yo	prefiero
tú	prefieres
él/ella/usted	prefiere
nosotros/nosotras	preferimos
vosotros/vosotras	preferís
ellos/ellas/ustedes	prefieren

Actividad 12

Completa las frases con los verbos entre paréntesis en la forma correspondiente.

1. Y tú ¿qué ...., ir en bicicleta o a pie? (preferir)
2. ¿Cuándo .... Los Genios de Santander? (volver)
3. Se .... beber el agua de este río? (poder)
4. Los Genios .... la perrita a su dueña. (devolver)
5. ¿(nosotros) .... jugar con el ordenador? (poder)

Actividad 13

Marca una cruz en el pronombre correspondiente a cada forma verbal.

	yo	nosotras	ellos	tú	él	vosotros
pueden			X			
vuelve						
puedo						
devuelven						
puedes						
volvemos						
devolvéis						
vuelvo						
podemos						
prefiere						
podéis						
vuelves						
preferimos						
volvéis						

Actividad 14

Elige uno de los itinerarios. Dibújalo sobre un plano y explícalo, indicando si hay que ir recto, a la derecha, a la izquierda, etc. Pega fotografías de lo que puedes ver por el camino.

a. El itinerario que haces para ir desde tu casa a tu colegio.

b. El itinerario que haces para ir a casa de un amigo o de un familiar.

FOTO

Para ir...

FOTO

CAMINOS FAMOSOS

Actividad 15

Antes de leer el texto, contesta a estas preguntas.

1. ¿Qué sabes del Camino de Santiago? ....
....
2. ¿Sabes lo que es el Camino del Inca? ....
....
3. ¿Hay algún itinerario o algún camino importante en tu país? ¿Dónde empieza y dónde acaba? ......
....
....

El Camino del Inca (Perú)

Excursionistas recorriendo el Camino del Inca.

El Camino del Inca va desde la ciudad de Cuzco, antigua capital del Imperio incaico, hasta Machu Picchu, una de las siete maravillas del mundo moderno. Tiene un recorrido de 42 kilómetros y sube hasta los 4.200 metros de altura.
El Camino del Inca se puede hacer en 3 o 4 días, pero no se puede hacer en **bicicleta** ni solo, siempre se ha de ir acompañado de un guía autorizado por el Ministerio de Cultura de Cuzco. Muchos turistas de todas partes del mundo vienen a Perú para visitar Machu Picchu y recorrer el Camino del Inca, el sendero más famoso de Sudamérica. Estos turistas vienen **atraídos** por la belleza de los paisajes y las **ruinas** incas que se pueden contemplar a lo largo de todo el itinerario. Y, según dicen, es una experiencia inolvidable atravesar la Puerta del Sol de Machu Picchu, después de haber hecho el recorrido.

El Imperio inca o incaico fue un estado **precolombino** que se extendía desde Ecuador hasta Chile y el norte de Argentina.

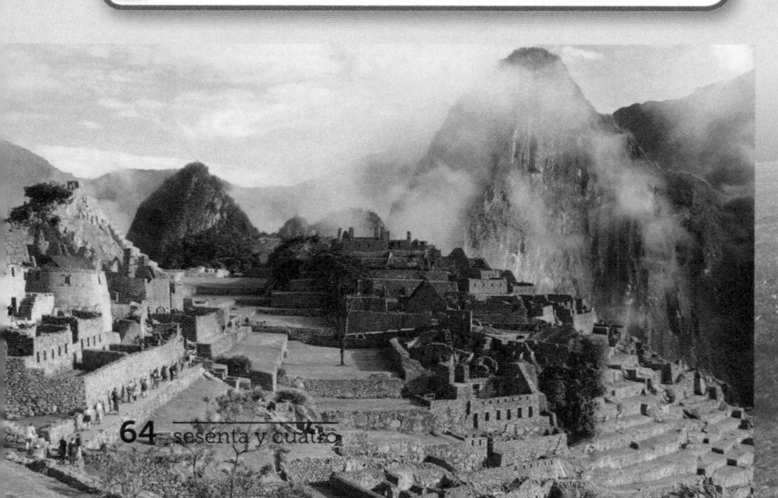
Machu Picchu.

Catedral de Santiago de Compostela.

Vieira o concha de Santiago.

El Camino de Santiago (España)

El Camino de Santiago es una ruta que atraviesa el norte de España y que recorren los **peregrinos** procedentes de todo el mundo para llegar a la catedral de Santiago de Compostela. Durante toda la Edad Media este camino fue muy importante.
Desde Somport (Huesca), en la frontera entre Francia y España, hasta Santiago de Compostela (A Coruña) el Camino tiene más de 800 kilómetros. Se tarda unos 20 días en recorrerlo a pie. También se puede hacer en bicicleta.
El Camino de Santiago está **señalizado** con vieiras o conchas de Santiago. A lo largo de todo el itinerario se encuentran numerosos albergues en los que los peregrinos pueden descansar o dormir. En la actualidad muchas personas hacen el Camino de Santiago por motivos religiosos, espirituales o deportivos.

Peregrinos por las calles de Santiago de Compostela.

LÉXICO

bicicleta: ....
atraídos: ....
ruinas: ....
precolombino: ....
peregrino: ....
señalizado: ....

Actividad 16

A. Después de leer el texto, rellena estas fichas. Completa, también los mapas con los nombres que faltan.

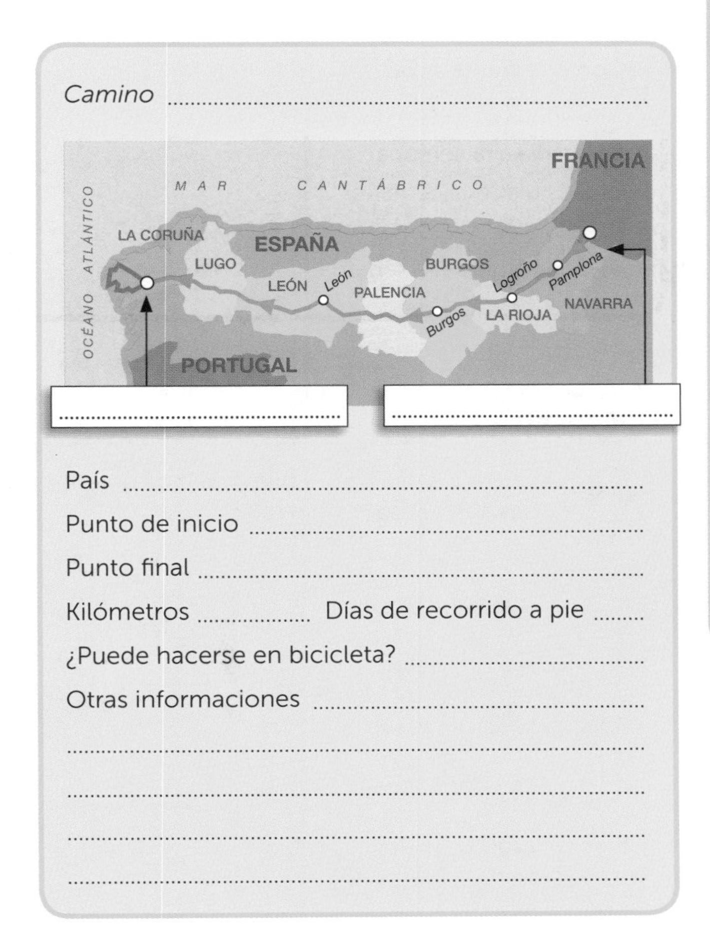

Camino ....

País ....

Punto de inicio ....

Punto final ....

Kilómetros .... Días de recorrido a pie ....

¿Puede hacerse en bicicleta? ....

Otras informaciones ....

....

....

....

....

Camino ....

PERÚ

Wiñayhuayna

Wuayllabamba

País ....

Punto de inicio ....

Punto final ....

Kilómetros .... Días de recorrido a pie ....

¿Puede hacerse en bicicleta? ....

Otras informaciones ....

....

....

....

B. Responde a estas preguntas.

De estos dos caminos, ¿cuál te gustaría hacer?

☐ a) los dos

☐ b) ninguno de los dos

☐ c) el camino ....

¿Por qué? ....

Actividad 17

Prepara otra ficha con un camino, una excursión o un itinerario que conozcas bien. Pega una fotografía o dibuja un plano del recorrido.

Camino ....

País ....

Punto de inicio ....

Punto final ....

Kilómetros .... Días de recorrido a pie ....

¿Puede hacerse en bicicleta? ....

Otras informaciones ....

....

....

....

SÉPTIMA SEMANA: ¡LLUEVE!

Antes de leer el cómic

¿Practicas algún deporte? ¿Cuál? ....
....

¿Con qué frecuencia?

a) Cada día.
b) Un día a la semana.
c) Dos días a la semana.
d) Tres días a la semana.
e) Cuatro días a la semana.

Actividad 1

Lee los diálogos del cómic y completa el texto con las palabras del recuadro.

bolsa	**bocadillos**	**debajo**	**está**
voleibol	**playa**	**pueden**	**tiempo**

Los Genios van a la ....
En una bolsa llevan los ....,
la bebida y la fruta de la comida. Kris, Víctor, Raúl y Cindy se bañan. Marina, Juan Carlos, Sukaina y Clarita no se bañan y juegan a ....
El .... es bueno.
De repente, ... y ellos se protegen de la lluvia .... de una barca.
Cuando quieren comer, no ....
porque la .... de la comida
.... en el agua.

LÉXICO

bolsa: ....
bocadillos: ....
zumos: ....
olas: ....
de repente: ....

Actividad 2

Escucha los diálogos y marca si las siguientes frases son verdaderas o falsas.

15

	V	F
1. Sukaina se baña en el mar.	☐	☐
2. Las olas son muy grandes.	☐	☐
3. Víctor lleva la bolsa de la comida.	☐	☐
4. Para comer hay bocadillos y agua.	☐	☐
5. Sukaina juega a balonmano dos días a la semana.	☐	☐
6. Cuando llueve, todos comen debajo de la barca.	☐	☐

Actividad 3

Mis cosas **Contesta a estas preguntas con los recursos del apartado Para hablar de.**

1. ¿Vas mucho a la playa? ¿Con qué frecuencia?
....
....

2. ¿Qué prefieres, ir a la playa o ir a la montaña?
....
....

3. ¿Cuál es tu comida preferida?
....
....

¡LLUEVE!
VIERNES.
¡QUÉ DÍA MÁS BONITO!
SÍ, HACE SOL. ¿QUÉ LLEVAS EN ESTA BOLSA?
LA COMIDA.
BOCADILLOS, FRUTA, ZUMOS Y AGUA.
¿Y QUÉ HAY?
¡EL AGUA ESTÁ MUY BUENA! ¿VIENES?
ES QUE... LAS OLAS SON MUY GRANDES.
¿QUIERES JUGAR A VOLEIBOL?
VALE. Y VOSOTROS, ¿QUERÉIS JUGAR?
NO, LO SIENTO, ME DUELE LA PIERNA.
NO, GRACIAS, PREFIERO DIBUJAR.
¡JUEGAS MUY BIEN!
ES QUE TAMBIÉN JUEGO A BALONMANO DOS DÍAS A LA SEMANA.
DE REPENTE...
¡LLUEVE!
¿QUÉ OS PARECE SI COMEMOS?
¡MMM! ¡TENGO HAMBRE!
YO QUIERO UN BOCADILLO DE JAMÓN Y QUESO.
Y YO, DE TORTILLA.
¿QUIÉN TIENE LA BOLSA DE LA COMIDA?
¡LA BOLSA ESTÁ ALLÍ!
¡OHHHHHHHHH!

Proponer una actividad

¿Vienes?
¿Quieres venir a la piscina?
Podemos ir a una pizzería.

Aceptar y rechazar una propuesta

Sí, ¡buena idea!
Vale.

No, es que....
No, lo siento, no me gusta...
No, no me gusta.
No, no tengo ganas.

Pedir algo en un bar

- ¿Qué queréis (tomar)?
- ¿Y para beber?
- Un bocadillo de tortilla y un zumo de naranja, por favor.
- Yo quiero un bocadillo de queso y un refresco de limón.
- Yo, uno de jamón y queso y una botella de agua.

Preguntar por el precio y pagar

Comida

Un bocadillo

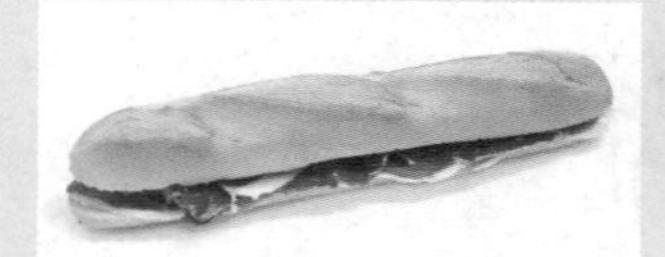

de queso
de tortilla
de jamón
de atún

Una ración

de tortilla de patatas
de queso
de jamón
de aceitunas
de patatas fritas

Un bistec

con patatas (fritas)
con arroz
con tomate
con mayonesa

Bebida

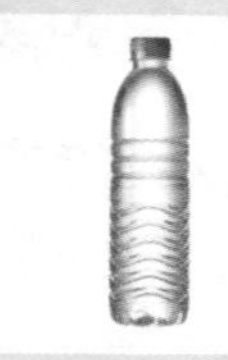

Una botella **de** agua

Un refresco **de** limón / naranja / cola

Un zumo **de** piña / naranja / melocotón

El tiempo meteorológico

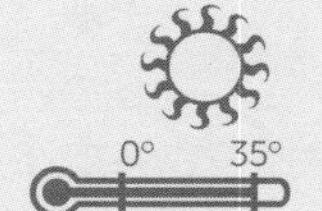

Hace buen tiempo.
Hace sol.
Hace calor.

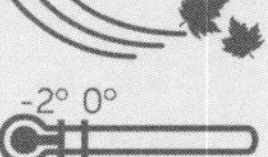

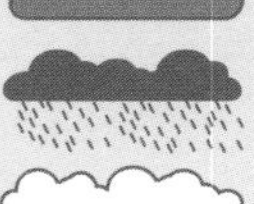

Hace mal tiempo.
Hace viento.
Hace frío.
Está nublado / gris.
Llueve.
Nieva.
Hay tormenta (con rayos y truenos).

Expresar la frecuencia

¿**Cuántas veces a la semana** juegas al fútbol?
¿**Cuántos días al mes** juegas al fútbol?
¿**Cuántas horas al día** haces deporte?
¿**Con qué frecuencia** haces deporte?

Dos horas **al** día.
Una vez **al** mes.
Tres veces **a la** / **por** semana.
Dos días **a la** / **por** semana.
Los martes y jueves por la tarde.
Todos los sábados.

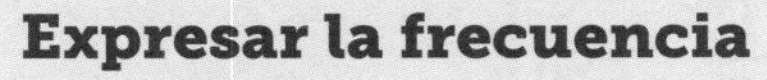

Hablar de la salud

Me duele la cabeza. → Tengo dolor de cabeza.
Me duelen las muelas. → Tengo dolor de muelas.
Me duele la pierna. → ~~Tengo dolor de pierna.~~
Me duele la rodilla. → ~~Tengo dolor de rodilla.~~

Actividad 4

Escribe lo que dicen estas personas.

Actividad 5

Responde según tus costumbres.

1. ¿Cuántas horas al día ves las televisión?
   ....
2. ¿Cuántas horas al día haces deberes?
   ....
3. ¿Cuántas veces a la semana ordenas tu habitación?
   ....
4. ¿Cuántas veces al año vas al dentista?
   ....

Actividad 6

Ordena este diálogo que sucede en un bar.

☐ Un bocadillo de tortilla, por favor.
☐ Un zumo de piña. ¿Cuánto cuesta todo?
☐ Gracias.
☐ ¿Qué quieres comer?
☐ Tome.
☐ ¿Y para beber?
☐ A ver, el bocadillo, 2,50€ y el zumo, 1,50€... Total, son 4€.

Actividad 7

A. Escribe los números de la partes del cuerpo correspondientes.

1. la espalda
2. la rodilla
3. la cabeza
4. la pierna
5. la frente
6. el pecho
7. el brazo
8. la nariz
9. el codo
10. los ojos
11. la boca
12. los pies
13. la mano
14. la oreja
15. el pelo

B. Con el vocabulario anterior, completa este crucigrama.

Verticales

1. Está sobre los ojos.
2. Puede ser rubio, moreno...
3. Extremidad inferior. Sirve para andar.
4. Parte delantera superior del cuerpo.
5. Sirve para flexionar las piernas.
6. Está debajo de la nariz, sirve para hablar y comer.
7. Está debajo de los ojos, sirve para oler.
8. Sirven para ver.

Horizontales

1. Parte posterior del cuerpo.
2. Están al final de las piernas y sirven para andar.
3. Tenemos dos y están en la cabeza.
4. Es la parte superior del cuerpo, donde están la frente, los ojos, la nariz y la boca.
5. Tenemos dos y sirven para escribir, para tocar un instrumento...
6. Extremidad superior.
7. Sirve para flexionar el brazo.

Conectores: *y, ni, pero, o*

Y se utiliza para unir un elemento a otro.

Tengo un gato **y** un perro.
Me gusta leer **y** dibujar.

O indica una alternativa entre dos elementos.

¿Qué prefieres: la playa **o** la montaña?
¿Quieres un bocadillo de tortilla **o** de jamón?

Ni se usa cuando se añade un elemento negativo a otro elemento negativo.

No me gusta jugar al balonmano **ni** al baloncesto.
No me gusta la pizza **ni** el queso.

Pero se usa para introducir una idea que contrasta con la idea anterior.

Hace sol **pero** hace frío.
A mi hermano le gusta la pizza, **pero** a mí no.

Actividad 8

Completa las frases con: y / o / pero / ni.

1. ● ¿Qué tiempo hace para ir a la playa?
   ❍ No muy bueno. Hace mucho sol .... hace también mucho viento.
2. Vamos a ir a la piscina .... después al cine.
3. No hablo bien el español .... puedo comprender muchas cosas.
4. ¿Qué bocadillo quieres: el de queso .... el de jamón?
5. No me gusta la pizza .... el pollo.
6. No me gusta la montaña .... voy muchas veces con mi familia.

Algunas preposiciones

a

Voy **a la** piscina.

! **a + el = al**

Voy **al** mercado.

en

Estoy **en la** piscina.

de

Vengo **de la** piscina.

! **de + el = del**

Vengo **del** mercado.

entre

La piscina está **entre** el cine y el mercado.

Actividad 9

Completa las frases con: a / de / en / entre.

1. ● ¿................ dónde vais tan contentos?
   ❍ Vamos .... la playa.
2. ● ¿Dónde vive Patricia?
   ❍ Allí, ... la escuela y el parque.
3. ● No encuentro mi bañador.
   ❍ Está .... mi habitación.
4. ● ¿................ dónde venís tan cansados?
   ❍ Venimos .... la playa.
5. ● ¿Dónde están los chicos?
   ❍ .... el campo de fútbol.
6. ● ¿Qué hacéis esta tarde?
   ❍ Vamos .... un concierto.

El verbo *querer*

yo	quiero
tú	quieres
él/ella/usted	quiere
nosotros/nosotras	queremos
vosotros/vosotras	queréis
ellos/ellas/ustedes	quieren

Quiero una ración de aceitunas.
Quiero ir a la piscina.

El verbo *dar*

yo	doy
tú	das
él/ella/usted	da
nosotros/nosotras	damos
vosotros/vosotras	dais
ellos/ellas/ustedes	dan

Yo te **doy** un poco de pizza y tú me **das** un poco de bocadillo.

El verbo *jugar*

yo	j**ue**go
tú	j**ue**gas
él/ella/usted	j**ue**ga
nosotros/nosotras	jugamos
vosotros/vosotras	jugáis
ellos/ellas/ustedes	j**ue**gan

El verbo **jugar** se conjuga como los verbos **encontrar** y **contar**.

¿**Jugamos** un partido de fútbol?

¡Juegas muy bien!
Es que también juego a balonmano dos días a la semana.

Actividad 10

Completa las frases con la forma correcta de los verbos querer, jugar, contar y dar.

1. ¿(tú) .... jugar a la pelota? (querer)
2. Juanjo y José Luis .... a waterpolo todos los sábados. (jugar)
3. Kris .... el dinero de los bocadillos al camarero. (dar)
4. ¿Por qué no .... un partido de fútbol? (jugar)
5. Mi abuela .... muchas historias muy interesantes. (contar)
6. No .... ir a la playa. Me duele la cabeza. (querer)

Actividad 11

A. Completa los diálogos con las siguientes palabras.

damos	**quiere**	**contamos (2)**
jugamos	**quiero**	**jugáis**

Kris: ¿Qué podemos hacer esta tarde?

Clarita: Yo .... ir a dar un paseo por el campamento y Cris .... hablar con Marina.

Víctor: Chicos, ¿y qué os parece si nosotros .... al fútbol?

Juan Carlos: Yo creo que es mejor si nos quedamos aquí y .... historias de miedo.

Kris: ¡Ya tengo la solución! Primero, ... un paseo por el campamento todos juntos. Luego, vosotros .... un partido de fútbol y nosotras vamos a tomar un helado con Marina. Al final, volvemos aquí todos juntos y .... historias de miedo.

Todos: ¡Vale!

16

B. Escucha el audio y verifica tus respuestas.

Actividad 12

Pega fotografías de paisajes tomadas en distintas estaciones del año y escribe debajo qué tiempo hace.

Actividad 13

Antes de leer el texto, contesta a estas preguntas.

1. ¿Qué te gusta más?

la carne	☐	las sopas	☐
el pescado	☐	las ensaladas	☐
las verduras	☐	los postres	☐

2. Escribe el nombre de tres platos típicos de España o de países hispanoamericanos que conozcas.

....

....

....

LÉXICO

- verduras: ....
- cocción: ....
- en su punto: ....
- tortillas de maíz: ....
- rellenas: ....
- marinado: ....
- frijoles: ....
- huevo: ....
- dulces: ....
- rectangular: ....
- redondas: ....

Gastronomía hispana

La paella

Es un plato típico de España que se conoce en todo el mundo. La paella está hecha básicamente de arroz con carne, pescado y distintas **verduras**. Es muy importante el tiempo de **cocción**, ya que el arroz debe estar **en su punto**. Es muy frecuente ver a las familias españolas comer una gran paella los domingos o los días de fiesta.

El asado

Es la comida típica de Argentina y de Uruguay. Se trata de grandes cantidades de carne asada sobre el fuego. Se come con una salsa picante que se llama chimichurri. Es una comida de fiesta y de reunión de amigos.

Los tacos

Son una comida mexicana. Consisten en **tortillas de maíz** enrolladas y **rellenas**. Se sirven con salsa picante, verde o roja. El relleno puede ser de verduras o de distintas carnes. Es una comida muy popular y se come con las manos.

El cebiche

Es pescado crudo, **marinado** con limón, cebolla y distintas hierbas. Es una comida muy típica de Perú y también se come en Colombia, Chile y Ecuador.

El gallopinto

Es un plato típico de Costa Rica y de Nicaragua que consiste en arroz y **frijoles** fritos hasta quedar tostados. Se come con un **huevo** frito o revuelto.

Los turrones

Son **dulces** hechos con una base de almendra y miel. Tienen forma **rectangular**. En España se comen como postre de Navidad y son muy populares.

Los alfajores

Son galletas pequeñas, **redondas**, unidas entre ellas con mermelada, chocolate, dulce de leche, etc. formando dos o tres capas. Son muy típicos de Argentina y de Uruguay.

Actividad 14

Después de leer el texto, responde a las preguntas.

¿Qué plato te gustaría probar? ¿Por qué?

....

....

....

¿Qué plato no te gustaría probar? ¿Por qué?

....

....

....

¿Qué plato se parece a alguno de tu país?

....

....

....

....

No hay que confundir las **tortillas mexicanas**, que son tortas de harina de maíz, con la **tortilla española**, que es una torta a base de huevo, solo o con patatas (entonces se llama tortilla de patatas). Tienen el mismo nombre pero designan alimentos distintos.

Actividad 15

A. Según el texto, ¿qué platos se comen en estos países?

Argentina: ....

Chile: ....

Costa Rica: ....

Ecuador: ....

México: ....

Nicaragua: ....

Perú: ....

España: ....

Uruguay: ....

B. De los platos descritos en el texto:

1. ¿Qué platos son salados? ....
   ....
2. ¿Qué platos son dulces? ....
   ....
3. ¿Qué platos son picantes? ....
   ....
4. ¿Qué platos se comen con amigos y familia? ....
   ....
5. ¿Qué plato es típico de una fiesta importante? ....
   ....
6. ¿De qué fiesta? ....
   ....

Actividad 16

¿Cuál es la comida típica de tu país? Escribe los ingredientes y un pequeño texto como los de la página anterior. No olvides pegar una foto.

....

....

....

....

....

....

....

OCTAVA SEMANA: UNA BUENA NOTICIA

Antes de leer el cómic

¿Te gusta visitar los zoos? ....

....

¿Te gustan los animales salvajes? ....

....

Actividad 1

Lee los diálogos del cómic y completa el texto con las palabras del recuadro.

animales	**Parque**	**van**
contenta	**pueden**	**vuelven**
padres	**tiene**	**zoo**

Los Genios .... al .... de la Naturaleza de Cabárceno, que es un .... abierto. Allí .... ver muchos .... salvajes en libertad. Clarita no ha ido con ellos porque espera la visita de sus .... Cuando sus amigos ...., le enseñan las fotos que han hecho. Clarita está muy .... porque .... una buena noticia para compartir con ellos.

LÉXICO

al aire libre: ....
animales salvajes: ....
jirafas: ....
gorilas: ....
elefante: ....
tigre: ....
oso: ....
lince: ....
hipopótamo: ....
quedarse: ....

El Parque de la Naturaleza de Cabárceno se encuentra a 15 km de Santander. En él se pueden visitar muchos animales salvajes que viven al aire libre. También hay diferentes tipos de plantas.

Actividad 2

Escucha los diálogos y di si las siguientes afirmaciones son verdaderas o falsas. Si quieres, puedes leer el cómic mientras escuchas. 17

	V	F
1. Clarita no va al parque porque se encuentra mal.	☐	☐
2. En el parque se pueden ver animales salvajes en libertad.	☐	☐
3. Los Genios hacen muchas fotos.	☐	☐
4. Clarita va a vivir en Ecuador el año próximo.	☐	☐
5. Kris invita a todos a su casa para las vacaciones de Navidad.	☐	☐

Actividad 3

Contesta a estas preguntas con los recursos del apartado Para hablar de.

1. ¿Este año, has visitado algún lugar nuevo?
....
2. ¿Qué te ha gustado más de todo lo que has hecho este verano? ....
....
3. ¿Qué cosas nuevas quieres hacer el curso que viene?..
....
4. ¿Qué buena noticia crees que van a tener Los Genios o alguno de ellos?.......................................
....

UNA BUENA NOTICIA

Épocas del año

En Navidad / Semana Santa / vacaciones
En primavera / verano / otoño / invierno

En enero / febrero / marzo...

Expresar acciones futuras

Este verano / otoño / invierno / curso / año
Esta primavera / semana
Estas vacaciones /Navidades

(Pasado) mañana
El año / el curso / la semana **que viene**
En agosto / vacaciones / Pascua

● **¿Qué vais a estudiar el curso que viene?**
○ **Vamos a estudiar** 2.º de la ESO.
● **¿Qué vas a hacer estas vacaciones?**
○ **Voy a aprender** a jugar a voleibol.

El año que viene no nos vamos a ir a Ecuador.

Preguntar por la causa y responder

● **¿Por qué** estás contenta?
○ **Porque** nos quedamos a vivir en España.

¿Por qué no vienes con nosotros al parque?
Porque van a venir mis padres...

Los animales del zoo

reptiles

serpiente

cocodrilo

mamíferos

oso

león

tigre

hipopótamo

cebra

elefante

jirafa

gorila

aves

águila

cóndor

búho

pelícano

Actividad 4

18

A. Escucha el audio y marca una cruz en las informaciones que dan Los Genios sobre sus proyectos después del campamento.

	Kris	Víctor	Juan Carlos	Marina	Raúl	Cindy	Sukaina	Clarita
En casa de sus abuelos	X							
Viaje por España								
Camping								
Viaje por Europa								
Caravana								
Montañismo								
Refugios								
Marruecos								
Se queda en su ciudad								
Entre dos ciudades								

B. Ahora, responde a las siguientes preguntas.

1. ¿Quién(es) va(n) a viajar por Europa? ....
2. ¿Quién(es) no se va(n) a mover de su pueblo o ciudad? ....
3. ¿Quién(es) va(n) a ir al pueblo de sus abuelos? ....
4. ¿Quién(es) va(n) a ir a la montaña? ....
5. ¿Quién(es) va(n) a ir a la playa? ....
6. ¿Quién(es) va(n) a conocer nuevas ciudades? ....

Actividad 5

Completa las frases con por qué o porque.

1. ● ¿ .... no puedes andar?
   ○ .... me duele la pierna.
2. ● ¿ .... quieres ir a España?
   ○ .... quiero practicar el español.
3. ● ¿ .... te gusta viajar?
   ○ .... me gusta conocer gente y ciudades nuevas.

Actividad 6

Mis cosas **Contesta con tu información personal.**

¿Por qué estudias español? ....

....

¿Te gusta el deporte? ¿Por qué? ....

....

¿Qué asignatura te gusta más? ¿Por qué? ....

....

¿Qué tipo de películas te gusta más? ¿Por qué?

....

....

Actividad 7

Escribe textos como el del ejemplo a partir de los datos de al lado.

	**Nombre:** Inés **Mes:** agosto **Destino:** Irlanda **¿Con quién?:** sola **Motivo:** perfeccionar el inglés **Duración:** dos semanas **Alojamiento:** una familia	Este mes de agosto, Inés va a ir dos semanas a Irlanda para perfeccionar el inglés. Va a viajar sola y va a vivir con una familia.
	**Nombre:** César **Mes:** agosto **Destino:** Mallorca **¿Con quién?:** padres y hermana **Motivo:** vacaciones y estar con amigos **Duración:** diez días **Alojamiento:** casa de unos amigos	
	**Nombre:** Laydi **Mes:** julio y agosto **Destino:** Bogotá **¿Con quién?:** familia, padres y tres hermanos **Motivo:** visitar a la familia **Duración:** dos meses **Alojamiento:** en casa de familiares	
	**Nombre:** Jorge **Mes:** julio **Destino:** Burunchel (un pueblo de Andalucía) **¿Con quién?:** familia, padres y dos hermanas **Motivo:** vacaciones **Duración:** un mes **Alojamiento:** en casa de los abuelos	
	**Nombre:** Leo **Mes:** agosto **Destino:** Galicia **¿Con quién?:** grupo ciclista **Motivo:** hacer el Camino de Santiago en bicicleta **Duración:** dos semanas **Alojamiento:** en albergues de peregrinos	

El verbo *salir*

yo	salgo
tú	sales
él/ella/usted	sale
nosotros/nosotras	salimos
vosotros/vosotras	salís
ellos/ellas/ustedes	salen

El verbo *venir*

yo	vengo
tú	vienes
él/ella/usted	viene
nosotros/nosotras	venimos
vosotros/vosotras	venís
ellos/ellas/ustedes	vienen

El verbo *traer*

yo	traigo
tú	traes
él/ella/usted	trae
nosotros/nosotras	traemos
vosotros/vosotras	traéis
ellos/ellas/ustedes	traen

El verbo *ver*

yo	veo
tú	ves
él/ella/usted	ve
nosotros/nosotras	vemos
vosotros/vosotras	véis
ellos/ellas/ustedes	ven

Actividad 8

Completa estas frases usando los verbos entre paréntesis en presente.

1. ¿A qué hora .... este tren? (salir)
2. ¿De dónde .... estos chicos? (venir)
3. (vosotros) ¿Qué .... para la fiesta? (traer)
4. (yo) ¡................................ unos gorilas, allí, junto a los árboles! (ver)
5. (tú) ¿................................ aquellos osos? (ver)

Que (relativo)

Altea es una ciudad. + Altea está al lado del mar.

↓

Altea es una ciudad **que** está al lado del mar.

! No se debe confundir el **que** relativo con el **qué** interrogativo ni con el **qué** exclamativo.

El **que** relativo no lleva nunca acento.

Víctor tiene una hermana **que** se llama Irina.

El **qué** interrogativo y el **qué** exclamativo llevan siempre acento.

- ¿**Qué** vamos a hacer hoy?
- ¡**Qué** bien!

Actividad 9

Une estas frases usando que, como en el ejemplo.

Gonzalo tiene una tortuga. La tortuga de Gonzalo se llama Sabihonda.

Gonzalo tiene una tortuga que se llama Sabihonda.

1. Paso las vacaciones en una casa muy grande. La casa está en la montaña.
   ....
   ....
2. Oaxaca es una ciudad muy bonita. Oaxaca está en el sur de México.
   ....
   ....
3. Chile es un país. Chile está en América del Sur, al lado de Argentina.
   ....
   ....
4. Messi es un jugador de fútbol argentino. Messi juega en el FC Barcelona.
   ....
   ....
5. Los Genios visitan un zoo al aire libre. El zoo está a 15 km de Santander.
   ....
   ....
6. Shakira es una cantante colombiana. Shakira canta en inglés y en español.
   ....
   ....

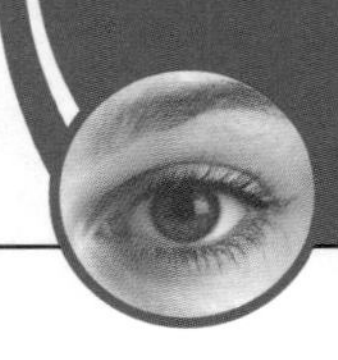

El pretérito perfecto

yo	he	visitado
tú	has	
él/ella/usted	ha	
nosotros/nosotras	hemos	
vosotros/vosotras	habéis	
ellos/ellas/ustedes	han	

Se usa cuando queremos contar acciones muy recientes, detrás de expresiones como **esta mañana**, **hoy**, **hace media hora**, **este año**, **este curso**, etc.

Se forma con el presente del verbo **haber** y el participio del verbo principal.

¡Papá, mamá!
Hoy hemos estado en un zoo muy especial.
He visto muchos animales en libertad: elefantes, leones... ¡Ha sido estupendo!

Participios regulares

visit**ar** → visit**ado**
est**ar** → est**ado**
viaj**ar** → viaj**ado**
com**er** → com**ido**
ven**ir** → ven**ido**
ir → **ido**

Algunos participios irregulares

ser → sido
volver → vuelto
ver → visto
dar → dado
hacer → hecho
decir → dicho

Y tú, ¿has visto a tus padres?

Sí. Y me han dado una buena noticia.

Actividad 10

Completa los correos de Marina y Víctor con los verbos del recuadro.

he conocido **he visitado** **he aprendido** **he hecho** **he estado**

De: Marina
Para: Amanda
Asunto: el campamento

¡Hola Amanda!
¿Qué tal estás? Yo, muy bien.
Este campamento es divertidísimo. .... a ir en canoa y a montar a caballo. .... muchísimos dibujos de todo y además, ... a muchos amigos nuevos y muy simpáticos. ¡Estoy entusiasmada!

Un beso,

Marina

De: Víctor
Para: Irina
Asunto: cosas que he hecho

¡Hola Irina!
¿Cómo estás? Yo, me lo paso muy bien en este campamento.
Esta semana .... muchos sitios nuevos: .... en Altamira, en Santillana del Mar, en Santander...
Ahora estoy un poco triste porque mañana nos vamos.

Hasta pronto,

Víctor

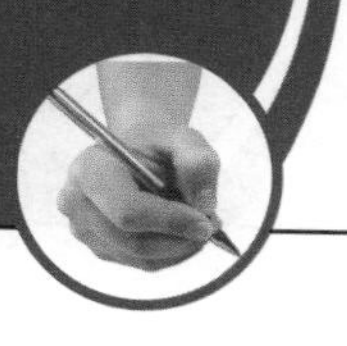

Actividad 11

Cuenta qué has hecho este verano, qué es lo que más te ha gustado y lo que no te ha gustado. Pega fotografías para ilustrar lo que escribes..

Actividad 12

Antes de leer el texto, contesta a estas preguntas.

1. ¿Sabes dónde está Ecuador? ....
....
2. ¿Sabes dónde está Guatemala? ....
....
3. ¿Sabes en qué países se extiende la selva amazónica?..
....
....
4. . ¿Sabes quiénes eran los mayas? ....
....

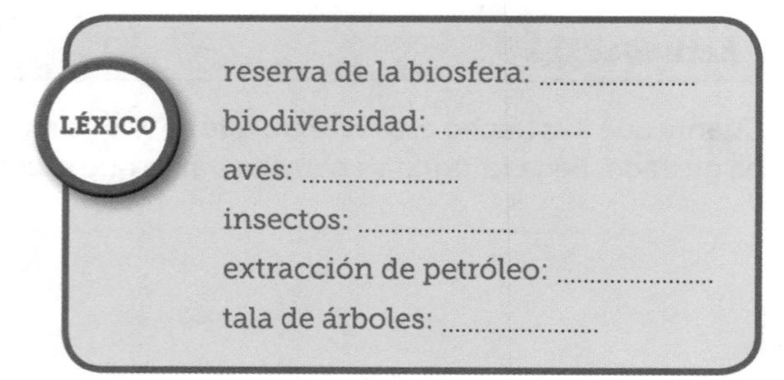

LÉXICO

reserva de la biosfera: ....
biodiversidad: ....
aves: ....
insectos: ....
extracción de petróleo: ....
tala de árboles: ....

PARQUES NACIONALES

EL PARQUE NACIONAL YASUNÍ

Es un parque nacional ecuatoriano que tiene casi 10.000 kilómetros cuadrados de selva tropical amazónica virgen. Desde 1989 está declarado por la Unesco como una reserva de la biosfera. En su territorio se encuentra el pueblo huaorani, uno de los muchos pueblos indígenas que viven en Ecuador.

La biodiversidad del Parque Nacional de Yasuní es única y extraordinaria. Esta selva cuenta con el mayor número de especies de árboles por hectárea en el mundo. Solo una hectárea de Yasuní acoge el mismo número de especies de árboles que toda América del Norte.

El parque contiene el 44 % de los pájaros de la cuenca del Amazonas, o sea, que es uno de los lugares más ricos en **aves** de toda la tierra. Lo mismo ocurre con los otros animales, como reptiles o **insectos**, de los que existen muchísimas variedades. Algunos animales del parque son los guacamayos, las tortugas, los caimanes y los monos.

El Gobierno ecuatoriano ha declarado que una parte del parque se tiene que proteger de la minería, de la **extracción de petróleo**, de la **tala de árboles** y de cualquier actividad peligrosa para la biodiversidad y la cultura de la zona.

EL PARQUE NACIONAL DE TIKAL

Este parque está situado en Guatemala, cerca de la frontera con México. Está declarado por la Unesco Patrimonio de la Humanidad y también **reserva de la biosfera** por la **biodiversidad** y los restos arqueológicos que contiene.

En el parque de Tikal se encuentran las ruinas de una gran ciudad maya. Al mismo tiempo, en la selva tropical que la rodea, las especies de vegetales y de animales se cuentan por miles.

Entre los animales que habitan el parque destacan el puma, el tucán y el quetzal. En cuanto a los árboles, uno de los más emblemáticos del Tikal es la ceiba, que puede llegar a alcanzar hasta 30 m de altura. El tucán y la ceiba son los símbolos dee Guatemala.

Los mayas fueron un pueblo precolombino que habitó América central. Por eso, tanto en México como en Guatemala quedan numerosos restos de esta civilización: templos, palacios, calendarios, esculturas...

Actividad 13

Después de leer el texto, señala en el mapa la situación del parque de Tikal y del parque de Yasuní y une con una flecha, los animales que, según el texto, sean más característicos de cada uno de los parques.

mono

quetzal

ceiba

puma

caimán

ruinas mayas

tortuga

guacamayo

tucán

MÉXICO, BAHAMAS, CUBA, REP. DOMINICANA, HAITI, BELIZE, JAMAICA, GUATEMALA, HONDURAS, ANTIGUA Y B., ST KITTS AND NEVIS, DOMINICA, ST LUCIA, EL SALVADOR, NICARAGUA, GRENADA, COSTA RICA, PANAMÁ, VENEZUELA, GUYANA, COLOMBIA, SURINAM, GUYANA FRANCESA, ECUADOR, PERÚ, BRASIL, BOLIVIA

....

....

Actividad 14

Contesta a las siguientes preguntas.

1. ¿Crees que es necesario proteger a los animales y a las plantas? ¿Por qué?

....

....

2. ¿Hay alguna reserva de la biosfera en tu país?

....

3. ¿Hay algún parque natural? ¿Lo has visitado?

....

4. ¿Cómo se llama?

....

5. ¿Dónde está situado?

....

6. ¿Qué animales tiene?

....

7. ¿Qué plantas?

....